COLLECTION
FOLIO/ESSAIS

Jean Baudrillard

De la séduction

Denoël

Jean Baudrillard, né en 1929, est actuellement professeur de sociologie à l'université de Nanterre. Il a écrit des chroniques littéraires pour *Les Temps modernes* et a traduit de l'allemand des œuvres de Peter Weiss ainsi que le livre de Wilhelm E. Mühlmann *Messianismes révolutionnaires du tiers monde*. Nombreux ouvrages publiés, parmi lesquels *Le système des objets*, *La société de consommation*, *Pour une critique de l'économie politique du signe*, *Le miroir de la production*, *L'échange symbolique et la mort*, *Oublier Foucault*, *L'effet Beaubourg*, *De la séduction*, *Simulacres et simulation*, *Les stratégies fatales*, *La Gauche divine*, *Amérique*, *Cool memories*.

Un destin ineffaçable pèse sur la séduction. Pour la religion, elle fut la stratégie du diable, qu'elle fût sorcière ou amoureuse. La séduction est toujours celle du mal. Ou celle du monde. C'est l'*artifice* du monde. Cette malédiction s'est maintenue inchangée à travers la morale et la philosophie, aujourd'hui à travers la psychanalyse et la « libération du désir ». Il peut sembler paradoxal que les valeurs du sexe, du mal et de la perversion étant devenues promotionnelles, tout ce qui a été maudit fêtant aujourd'hui sa résurrection souvent programmée, la séduction soit pourtant restée dans l'ombre — elle y est même rentrée définitivement.

Car le XVIIIe siècle en parlait encore. C'était même, avec le défi et l'honneur, la préoccupation vive des sphères aristocratiques. La Révolution bourgeoise y a mis fin (et les autres, les révolutions ultérieures, y ont mis fin sans appel — toute révolution met d'abord fin à la séduction des apparences). L'ère bourgeoise est vouée à la nature et à la production, choses bien étrangères et même expressément mortelles pour la séduction. Et comme la sexualité adviendra elle aussi, comme le dit Foucault, d'un processus de production (de discours, de parole et de désir), il n'est rien d'étonnant à ce que la séduction en fût plus encore occultée. Nous vivons toujours dans la promotion de la nature — que ce fût celle d'une bonne nature de l'âme jadis, ou celle d'une bonne nature matérielle des choses, ou encore celle d'une nature psychique du désir — la nature poursuit son avènement à travers toutes les métamorphoses du refoulé, à travers la libération de toutes les énergies, qu'elles soient psychiques, sociales ou matérielles.

Or la séduction n'est jamais de l'ordre de la nature, mais de celui de l'artifice — jamais de l'ordre de l'énergie, mais de celui du signe et du rituel. C'est pourquoi tous les grands systèmes de production et d'interprétation n'ont cessé de l'exclure du champ conceptuel — heureusement pour elle, car c'est de l'extérieur, du fond de cette déréliction qu'elle continue de les hanter et de les menacer d'effondrement. Toujours la séduction veille à détruire l'ordre de Dieu, fût-il devenu celui de la production ou du désir. Pour toutes les orthodoxies elle continue d'être le maléfice et l'artifice, une magie noire de détournement de toutes les vérités, une conjuration de signes, une exaltation des signes dans leur usage maléfique. Tout discours est menacé par cette soudaine réversibilité ou absorption dans ses propres signes, sans trace de sens. C'est pourquoi toutes les disciplines, qui ont pour axiome la cohérence et la finalité de leur discours, ne peuvent que l'exorciser. C'est là où séduction et féminité se confondent, se sont toujours confondues. Toute masculinité a toujours été hantée par cette soudaine réversibilité dans le féminin. Séduction et féminité sont inéluctables comme le revers même du sexe, du sens, du pouvoir.

Aujourd'hui l'exorcisme se fait plus violent et systématique. Nous entrons à l'ère des solutions finales, celle de la révolution sexuelle par exemple, de la production et de la gestion de toutes les jouissances liminales et subliminales, micro-procession du désir dont la femme productrice d'elle-même comme femme et comme sexe est le dernier avatar. Fin de la séduction.

Ou bien triomphe de la séduction *molle*, féminisation et érotisation blanche et diffuse de tous les rapports dans un univers social énervé.

Ou bien encore rien de tout cela. Car nul ne saurait être plus grand que la séduction elle-même, pas même l'ordre qui la détruit.

1

L'écliptique du sexe

Rien n'est moins sûr aujourd'hui que le sexe, derrière la libération de son discours. Rien n'est moins sûr que le désir aujourd'hui, derrière la prolifération de ses figures.

En matière de sexe aussi, la prolifération est proche de la déperdition totale. Là est le secret de cette surenchère de production de sexe, de signes du sexe, hyperréalisme de la jouissance, particulièrement féminine : le principe d'incertitude s'est étendu à la raison sexuelle comme à la raison politique et à la raison économique.

Le stade de la libération du sexe est aussi celui de son indétermination. Plus de manque, plus d'interdit, plus de limite : c'est la perte de tout principe référentiel. La raison économique ne se soutient que de la pénurie, elle se volatilise avec la réalisation de son objectif, qui est l'abolition du spectre de la pénurie. Le désir ne se soutient lui aussi que du manque. Lorsqu'il passe tout entier dans la demande, lorsqu'il s'opérationnalise sans restriction, il devient sans réalité parce que sans imaginaire, il est partout, mais dans une simulation généralisée. C'est le spectre du désir qui hante la réalité défunte du sexe. Le sexe est partout, sauf dans la sexualité (Barthes).

La transition vers le féminin dans la mythologie sexuelle est contemporaine du passage de la détermination à l'indétermination générale. Le féminin ne se substitue pas au masculin comme un sexe à l'autre, selon une inversion structurelle. Il s'y substitue comme la fin de la représentation determinée du sexe, flottaison de la loi qui régit la différence sexuelle. L'assomption du féminin correspond à l'apogée de la jouissance et à la catastrophe du principe de réalité du sexe.

C'est donc la féminité qui est passionnante, dans cette conjoncture mortelle d'une hyperréalité du sexe, comme elle le fut jadis, mais juste à l'opposé, dans l'ironie et la séduction.

Freud a raison : il n'y a qu'une seule sexualité, qu'une seule libido — masculine. La sexualité est cette structure forte, discriminante, centrée sur le phallus, la castration, le nom du père, le refoulement. Il n'y en a pas d'autre. Rien ne sert de rêver de quelque sexualité non phallique, non barrée, non marquée. Rien ne sert, à l'intérieur de cette structure, de vouloir faire passer le féminin de l'autre côté de la barre, et de mêler les termes — ou la structure reste la même : tout le féminin est absorbé par le masculin — ou elle s'effondre, et il n'y a plus ni féminin ni masculin : degré zéro de la structure. C'est bien ce qui se produit aujourd'hui simultanément : polyvalence érotique, potentialité infinie du désir, branchements, diffractions, intensités libidinales — toutes les multiples variantes d'une alternative libératrice venue des confins d'une psychanalyse libérée de Freud, ou des confins d'un désir libéré de la psychanalyse, toutes se conjuguent, derrière l'effervescence du paradigme sexuel, vers l'indifférenciation de la structure et sa neutralisation potentielle.

Pour ce qui est du féminin, le piège de la révolution sexuelle est de l'enfermer dans cette seule structure où il est condamné soit à la discrimination négative quand la structure est forte, soit à un triomphe dérisoire dans une structure affaiblie.

Cependant le féminin est ailleurs, il a toujours été ailleurs : c'est là le secret de sa puissance. Tout comme il est dit qu'une chose dure parce que son existence est inadéquate à son essence, il faut dire que le féminin séduit parce qu'il n'est jamais là où il se pense. Il n'est donc pas non plus dans cette histoire de souffrance et d'oppression qu'on lui impute — le calvaire historique des femmes (sa ruse est de s'y dissimuler). Il ne prend ce tour de servitude que dans cette structure où on l'assigne et le refoule, et où la révolution sexuelle l'assigne et le refoule plus dramatiquement encore — mais par quelle aberration complice (de quoi ? sinon justement du masculin) veut-on nous faire croire que c'est là l'histoire du féminin ? Le refoulement est déjà là tout entier, dans *le récit* de la misère sexuelle et politique des femmes, à l'exclusion de tout autre mode de puissance et de souveraineté.

Il y a une alternative au sexe et au pouvoir dont la psychanalyse ne peut pas connaître parce que son axiomatique est sexuelle, et cet ailleurs est sans doute en effet de l'ordre du féminin, entendu hors de l'opposition masculin/féminin, — celle-ci étant masculine pour l'essentiel, sexuelle de destination, et ne pouvant être bouleversée sans cesser proprement d'exister.

Cette puissance du féminin est celle de la séduction.

Le déclin de la psychanalyse et de la sexualité comme structures fortes, leur ravalement dans un univers psy et moléculaire (qui n'est autre que celui de leur libération définitive) laisse ainsi entrevoir un autre univers (parallèle au sens où celles-ci ne se rejoignent jamais) qui ne s'interprète plus en termes de relations psychiques et psychologiques, ni en termes de refoulement ou d'inconscient, mais en termes de jeu, de défi, de relations duelles et de stratégie des apparences : en termes de séduction — plus du tout en termes de structure et d'oppositions distinctives, mais de réversibilité séductrice — un univers où le féminin n'est pas ce qui s'oppose au masculin, mais ce qui *séduit* le masculin.

Dans la séduction, le féminin n'est ni un terme marqué, ni non marqué. Il ne recouvre pas non plus une « autonomie » de désir ou de jouissance, une autonomie de corps, de parole ou d'écriture qu'il aurait perdue (?), il ne revendique pas sa vérité, il séduit.

Bien sûr cette souveraineté de la séduction peut être dite féminine par convention, la même qui veut que la sexualité soit fondamentalement masculine, mais l'essentiel est que cette forme ait toujours existé — dessinant, à l'écart, le féminin comme ce qui n'est rien, ne se « produit » jamais, n'est jamais là où il se produit (donc certainement dans aucune revendication « féministe ») — et ceci non pas dans une perspective de *bi-sexualité* psychique ou biologique, mais d'une *trans-sexualité de la séduction* que toute l'organisation sexuelle tend à rabattre, et la psychanalyse elle-même, selon l'axiome qu'il n'est d'autre structure que celle de la sexualité, ce qui la rend constitutionnellement incapable de parler d'autre chose.

Qu'opposent les femmes à la structure phallocratique dans leur mouvement de contestation ? Une autonomie, une différence, une spécificité de désir et de jouissance, un autre usage de leur corps, une parole, une écriture — *jamais la séduction*. Elles en ont honte comme d'une mise en scène artificielle de leur corps, comme d'un destin de vassalité et de prostitution. Elles ne comprennent pas que *la séduction représente la maîtrise de l'univers symbolique, alors que le pouvoir ne représente que la maîtrise de l'univers réel*. La souveraineté de la séduction est sans commune mesure avec la détention du pouvoir politique ou sexuel.

Etrange et féroce complicité du mouvement féministe avec l'ordre de la vérité. Car la séduction est combattue et rejetée comme détournement artificiel de la vérité de la femme, celle qu'en dernière instance on trouvera inscrite dans son corps et dans son désir. C'est effacer ainsi d'un seul coup l'immense privilège du féminin de n'avoir jamais accédé à la vérité, au sens, et d'être resté maître absolu du règne des apparences. Puissance immanente de la séduction de tout ôter à sa vérité et de le faire rentrer dans le jeu, dans le jeu pur des apparences, et là de déjouer en un tournemain tous les systèmes de sens et de pouvoir : faire tourner les apparences sur elles-mêmes, faire jouer le corps comme apparence, et non comme profondeur de désir — or toutes les apparences sont réversibles — à ce seul niveau les systèmes sont fragiles et vulnérables — le sens n'est vulnérable qu'au sortilège. Aveuglement invraisemblable de renier cette seule puissance égale et supérieure à toutes les autres, puisqu'elle les renverse toutes par le simple jeu de la *stratégie des apparences*.

L'anatomie, c'est le destin, disait Freud. On peut s'étonner que le refus dans le mouvement féminin de ce destin, phallique par définition, et scellé par l'anatomie, ouvre sur une alternative qui reste fondamentalement anatomique et biologique :

> « Le plaisir de la femme n'a pas à choisir entre activité clitoridienne et passivité vaginale. Le plaisir de la caresse vaginale n'a pas à se substituer à celui de la caresse clitoridienne. Ils concourent l'un et l'autre, de manière irremplaçable, à la jouissance de la femme... Parmi d'autres... la caresse des seins, le toucher vulvaire, l'entrouverture des lèvres, le va-et-vient d'une pression sur la paroi postérieure du vagin, l'effleurement du col de la

matrice, etc., pour n'évoquer que certains des plaisirs spécifiquement féminins » (Luce Irigaray).

Parole de femme ? Mais toujours parole anatomique, toujours celle du corps. La spécificité féminine est dans la diffraction des zones érogènes, dans une érogénéité décentrée, polyvalence diffuse de la jouissance et transfiguration de tout le corps par le désir : tel est le leitmotiv qui parcourt toute la révolution sexuelle et féminine, mais aussi toute notre culture du corps, des Anagrammes de Bellmer aux branchements machiniques de Deleuze. Toujours il est question du corps, sinon anatomique, du moins organique et érogène, du corps fonctionnel dont, même dans cette forme éclatée et métaphorique, la jouissance serait la destination et le désir la manifestation naturelle. De deux choses l'une : ou le corps dans tout cela n'est qu'une métaphore (mais de quoi parle alors la révolution sexuelle, et toute notre culture, devenue celle du corps ?), ou alors nous sommes, avec cette parole du corps, avec cette parole de femme, entrés définitivement dans un destin anatomique, dans l'anatomie comme destin. Rien dans tout cela ne s'oppose radicalement à la formule de Freud.

Nulle part il n'est question de la séduction, du travail du corps par l'artifice, et non par le désir, du corps séduit, du corps à séduire, du corps passionnément écarté de sa vérité, de cette vérité éthique du désir qui nous hante — vérité sérieuse, profondément religieuse que le corps incarne aujourd'hui, et pour qui la séduction est tout aussi maléfique et artificieuse que pour la religion jadis — nulle part il n'est question du corps livré aux apparences.

Or *seule la séduction s'oppose radicalement à l'anatomie comme destin.* Seule la séduction brise la sexualisation distinctive des corps et l'économie phallique inéluctable qui en résulte.

Naïf est tout mouvement qui croit subvertir les systèmes par leur infrastructure. La séduction est plus intelligente, elle l'est comme spontanément, avec une évidence fulgurante — elle n'a pas à se démontrer, elle n'a pas à se fonder — elle est immédiatement là, dans le retournement de toute profondeur prétendue du réel, de toute psychologie, de toute anatomie, de toute vérité, de tout pouvoir. Elle sait, c'est son secret, qu'*il n'y a pas d'anatomie*, qu'il n'y a pas de psychologie, que tous les signes sont réversibles. Rien ne lui appartient, fors les apparences — tous les pouvoirs lui échappent, mais elle en réversibilise tous les signes. Qui peut s'opposer à elle ? Le seul véritable enjeu est là : dans la maîtrise et la stratégie des apparences, contre la puissance de l'être et du réel. Rien ne sert de jouer l'être contre l'être, la vérité contre la vérité : c'est là le piège d'une subversion des fondements, alors qu'il suffit d'une *légère* manipulation des apparences.

Or, la femme n'est qu'apparence. Et c'est le féminin comme apparence qui fait échec à la profondeur du masculin. Les femmes au lieu de se dresser contre cette formule « injurieuse » feraient bien de se laisser séduire par cette vérité, car là est le secret de leur puissance, qu'elles sont en train de perdre en dressant la profondeur du féminin contre celle du masculin.

Ce n'est même pas exactement le féminin comme surface qui s'oppose au masculin comme profondeur, c'est le féminin comme indistinction de la surface et de la profondeur. Ou comme indifférence entre l'authentique et l'artificiel. Ce que disait Joan Rivière dans « La Féminité comme mascarade » (*La Psychanalyse* n° 7), proposition fondamentale — et qui enferme en elle toute séduction : « Que la féminité soit authentique ou superficielle, c'est fondamentalement la même chose. »

Ceci ne peut être dit que du féminin. Le masculin, lui, connaît une discrimination sûre et un critère absolu de véracité. Le masculin est certain, le féminin est insoluble.

Or cette proposition concernant le féminin, que la distinction même de l'authentique et de l'artifice y soit sans fondement, est étrangement aussi celle qui définit l'espace de la simulation : là non plus il n'y a pas de distinction possible entre le réel et les modèles, il n'est d'autre réel que celui sécrété par les modèles de simulation, comme il n'est d'autre féminité que celle des apparences. La simulation elle aussi est insoluble.

Cette coïncidence étrange renvoie le féminin à son ambiguïté : il est en même temps un constat radical de simulation, et la seule possibilité de passer au-delà de la simulation — dans la séduction précisément.

L'ÉTERNELLE IRONIE DE LA COMMUNAUTÉ

Cette féminité,
l'éternelle ironie
de la communauté.

Hegel

La féminité comme principe d'incertitude.

Elle fait vaciller les pôles sexuels. Elle n'est pas le pôle opposé au masculin, elle est ce qui abolit l'opposition distinctive, et donc la sexualité elle-même, telle qu'elle s'est incarnée historiquement dans la phallocratie masculine, telle qu'elle peut s'incarner demain dans la phallocratie féminine.

Si la féminité est principe d'incertitude, c'est là où elle est elle-même incertaine que l'incertitude sera la plus grande : dans le jeu de la féminité.

Le transvestisme. Ni homosexuels ni transsexuels, c'est le jeu d'indistinction du sexe qu'aiment les travestis. Le charme qu'ils exercent, sur eux-mêmes aussi, vient de la vacillation sexuelle et non, comme il est coutume, de l'attraction d'un sexe sur l'autre. Ils n'aiment vraiment ni les hommes/hommes, ni les femmes/femmes, ni ceux qui se définissent par redondance comme être sexués distincts. Pour qu'il y ait sexe, il faut que les signes redoublent l'être biologique. Ici, les signes s'en séparent, il n'y a donc plus de sexe à proprement parler, et ce dont les travestis sont amoureux, c'est de ce jeu de signes, ce qui les passionne, c'est de *séduire les signes eux-mêmes*. Tout chez eux est maquillage, théâtre, séduction. Ils semblent obsédés par les jeux de sexe, mais ils le sont par le jeu d'abord, et si leur vie semble plus investie sexuellement que la nôtre, c'est qu'ils font du sexe un jeu total, gestuel, sensuel, rituel, une invocation exaltée, mais ironique.

Nico ne semblait si belle que parce que d'une féminité absolument jouée. Quelque chose de plus que la beauté, de plus sublime, en émanait, une séduction différente. Et il y avait une déception à apprendre qu'elle était un faux travelo, une vraie femme jouant au travelo. C'est qu'une femme/non-femme, se mouvant dans les signes, est plus en mesure d'aller au bout de la séduction qu'une vraie femme déjà justifiée par son sexe. Elle seule peut exercer une fascination sans mélange, parce que plus séductrice que sexuelle. Fascination perdue quand transparaît le sexe réel, où bien sûr un autre désir peut trouver son compte, mais justement plus dans la perfection, qui ne peut être que celle de l'artifice.

La séduction est toujours plus singulière et plus sublime que le sexe, et c'est à elle que nous attachons le plus de prix.

Il ne faut pas chercher au transvestisme un fondement dans la bisexualité. Car mêlés ou ambivalents ou indéfinis ou intervertis, les sexes et les caractères sexuels sont encore réels, ils témoignent encore d'une réalité psychique du sexe. Alors que c'est cette définition même du sexuel qui est éclipsée. Et ce jeu n'est pas pervers. Pervers est ce qui pervertit l'ordre des termes. Mais ici il n'y a plus de termes à pervertir, il n'y a plus que des signes à séduire.

Il ne faut pas chercher non plus du côté de l'inconscient et de l' « homosexualité latente ». Vieille casuistique de la latence, elle-même produit de l'imaginaire *sexuel* de la surface et de la profondeur, et qui sous-entend toujours une lecture symptomale et un sens corrigé. *Rien ici n'est latent,* tout met en cause l'hypothèse même d'une instance secrète et déterminante du sexe, l'hypothèse d'un jeu profond de phantasmes qui commanderait au jeu superficiel des signes — alors que tout se joue dans le vertige de cette réversion, de *cette transsubstantiation du sexe dans les signes qui est le secret de toute séduction.*

Peut-être même la puissance de séduction du travesti vient-elle tout droit de la parodie — parodie de sexe dans la sursignification du sexe. Ainsi la prostitution des travestis a-t-elle un autre sens que la prostitution commune des femmes. Elle est plus proche de celle, sacrée, des Anciens (ou du statut sacré de l'hermaphrodite). Elle rejoint le maquillage et le théâtre comme ostentation rituelle et parodique d'un sexe dont la jouissance propre est absente.

La séduction elle-même s'y double d'une parodie où transparaît une férocité assez implacable pour le féminin, et qui pourrait s'interpréter comme annexion par l'homme de la panoplie de séduction de la femme. Le travesti reproduirait ainsi la situation du guerrier originel, qui seul est séduisant — la femme n'est rien (clin d'œil du côté du fascisme, et de son affinité pour le travesti). Mais n'est-ce pas plutôt une annulation qu'une addition de sexes ? Et le masculin ne résilie-t-il pas dans cette dérision de la féminité son statut et ses prérogatives pour devenir élément contrapunctique d'un jeu rituel ?

De toute façon, cette parodie du féminin n'est pas aussi féroce qu'on le pense, puisqu'elle est la parodie de la féminité *telle que les hommes l'imaginent* et la mettent en scène, dans leurs phantasmes aussi Féminité outre-passée, dégradée, parodique (les travelos barcelonais gardent leur moustache et exhibent leur poitrine velue), elle énonce que dans cette société la féminité n'est rien que les signes dont les hommes l'affublent. Sursimuler la féminité, c'est dire que la femme n'est qu'un modèle de simulation masculin. Il y a un défi au *modèle* de la femme à travers le *jeu* de la femme, un défi à la femme/femme à travers la femme/signe, et il est possible que cette dénonciation vivante et simulée, qui joue aux confins de l'artificiel, qui joue et déjoue en même temps jusqu'à la perfection les mécanismes de la féminité, soit plus lucide et radicale que toutes les revendications idéo-politiques d'une féminité « aliénée dans son être ». Ici il est dit que la féminité n'a pas d'être (pas de nature, ni d'écriture, ni de jouissance propres, ni, comme le disait Freud, de libido spécifique). Contre toute quête d'une féminité authentique, parole de femme, etc., il est dit que la femme n'est rien, et que c'est là sa puissance.

Réponse plus subtile que la dénégation frontale opposée par le féminisme à la théorie de la castration. Car celle-ci se heurte à une fatalité non pas anatomique, mais symbolique, qui pèse sur toute sexualité virtuelle. Le renversement de cette loi ne peut donc consister que dans sa *résolution parodique,* dans l'excentricité des signes de la féminité, redoublement de signes qui met fin à toute biologie ou métaphysique insoluble des sexes — le maquillage n'est rien d'autre : parodie triomphante, résolution par excès, par hypersimulation en surface de cette simulation en profondeur qu'est elle-même la loi symbolique de la castration — jeu transsexuel de la séduction.

Ironie des pratiques artificielles — puissance propre à la femme maquillée ou prostituée d'exacerber le trait pour en faire plus qu'un signe, et par cet usage, non pas du faux opposé au vrai, mais du plus faux que le faux, d'incarner l'apogée de la sexualité et simultanément de se résorber dans la simulation. Ironie propre à la constitution de la femme comme idole ou objet sexuel, en ce qu'elle met fin, par là même, dans sa perfection close, au jeu du sexe et renvoie l'homme, seigneur et maître de la *réalité* sexuelle, à sa transparence de sujet *imaginaire.* Puissance ironique de l'objet, que la femme perd dans sa promotion de sujet.

Toute puissance masculine est puissance de produire. Tout ce qui se produit, fût-ce la femme se produisant comme femme, tombe dans le registre de la puissance masculine. La seule, et irrésistible, puissance de la féminité est celle, inverse, de la séduction. Elle n'est rien en propre, elle n'a rien en propre, que d'annuler celle de la production. Mais elle l'annule toujours.

Y a-t-il d'ailleurs jamais eu un pouvoir phallique ? Toute cette histoire de domination patriarcale, de phallocratie, de privilège immémorial du masculin n'est peut-être qu'une histoire à jouir debout. A commencer par l'échange des femmes dans les sociétés primitives, stupidement interprété comme le premier stade de la femme-objet. Tout ce qu'on nous raconte là-dessus, le discours universel sur l'inégalité des sexes, leitmotiv de la modernité égalitaire et révolutionnaire, et qui se renforce de nos jours de toute l'énergie de la révolution *ratée* — tout cela n'est qu'un gigantesque contresens. L'hypothèse inverse est parfaitement plausible, et d'une certaine façon plus intéressante — à savoir que le féminin n'a jamais été dominé : il a toujours été dominant. Le féminin non comme sexe précisément, mais comme forme transversale de tout sexe, et de tout pouvoir, comme forme secrète et virulente de l'insexualité. Comme défi dont les ravages se font sentir aujourd'hui sur toute l'étendue de la sexualité — ce défi, qui est aussi celui de la séduction, n'a-t-il pas toujours été triomphant ?

Dans ce sens, le masculin n'a jamais été que résiduel, une formation secondaire et fragile, qu'il faut défendre à force de retranchements, d'institutions, d'artifices. La forteresse phallique offre en effet tous les signes de la forteresse, c'est-à-dire de la faiblesse. Elle ne vit que du rempart d'une sexualité manifeste, d'une finalité du sexe qui s'épuise dans la reproduction ou dans la jouissance.

On peut faire l'hypothèse que le féminin est le seul sexe, et que le masculin n'existe que par un effort surhumain pour en sortir. Un instant de distraction, et on retombe dans le féminin. Il y aurait un privilège définitif du féminin, un handicap définitif du masculin — on voit la dérision de vouloir « libérer » l'un pour le faire accéder à la fragilité du « pouvoir » de l'autre, à cet état somme toute excentrique, paradoxal, paranoïde et fatigant qu'est le masculin.

Fable sexuelle inverse de la fable phallique, où c'est la femme qui résulte de l'homme par soustraction — ici c'est l'homme qui résulte de la femme par exception. Fable que renforceraient aisément les analyses de Bettelheim dans les *Blessures symboliques* : les hommes n'ont érigé leur pouvoir et leurs institutions que pour contrecarrer les pouvoirs originels bien supérieurs de la femme. Ce n'est pas l'envie du pénis qui est le moteur, c'est au contraire la jalousie de l'homme pour le pouvoir de fécondation de la femme. Ce privilège de la femme est inexpiable, il fallait inventer à tout prix un ordre différent, social, politique, économique masculin, où ce privilège naturel puisse être ravalé. Dans l'ordre rituel, les pratiques d'appropriation des signes du sexe opposé sont largement masculines : scarifications, mutilations, vaginisations artificielles, couvade, etc.

Tout ceci est aussi convaincant que peut l'être une hypothèse paradoxale (elle est toujours plus intéressante que l'hypothèse reçue), mais au fond elle ne fait qu'inverser les termes, et équivaut à faire du féminin une substance originelle, une sorte d'infrastructure anthropologique, elle refait une détermination inverse de l'anatomie, mais la laisse subsister comme destin — et de nouveau tout est perdu de l' « ironie de la féminité ».

L'ironie se perd lorsque le féminin est institué comme sexe, même et surtout quand c'est pour en dénoncer l'oppression. Leurre éternel de l'humanisme des Lumières, qui vise à libérer le sexe serf, les races serves, les classes serves dans les termes mêmes de leur servitude. Que le féminin devienne un sexe à part entière ! Absurdité, s'il ne se pose ni en termes de sexe, ni en termes de pouvoir.

Le féminin justement n'est de l'ordre ni de l'équivalence ni de la valeur : il est donc insoluble dans le pouvoir. Il n'est même pas subversif, il est réversible. Le pouvoir par contre est soluble dans la réversibilité du féminin. Si donc il est indécidable dans les « faits » de savoir qui, du masculin ou du féminin, a dominé l'autre au cours des siècles (encore une fois, la thèse de l'oppression du féminin repose sur un mythe phallocratique caricatural), par contre il est clair qu'en matière de sexualité aussi, la forme réversible l'emporte sur la forme linéaire. La forme exclue l'emporte en secret sur la forme dominante. La forme séductive l'emporte sur la forme productive.

La féminité dans ce sens est du même côté que la folie. C'est parce que la folie l'emporte en secret qu'elle doit être normalisée (entre autres grâce à l'hypothèse de l'inconscient). C'est parce que la féminité l'emporte en secret qu'elle doit être recyclée et normalisée (dans la libération sexuelle en particulier).

Et dans la jouissance.

Un des traits souvent avancés de l'oppression des femmes est la spoliation de jouissance, leur manque à jouir. Flagrante injustice que tous doivent s'employer à réparer immédiatement, selon le schéma d'une sorte de course de fond ou de rallye sexuel. La jouissance a pris l'allure d'une exigence et d'un droit fondamental. Dernier-né des droits de l'homme, elle a accédé à la dignité d'un impératif catégorique. Il est immoral d'y contrevenir. Mais elle n'a même pas le charme kantien des finalités sans fin. Elle s'impose comme gestion et autogestion du désir, et nul n'est censé l'ignorer, pas plus que la loi.

C'est ignorer que la jouissance est elle aussi réversible, c'est-à-dire qu'il peut y avoir une intensité supérieure dans l'absence ou le déni de jouissance. C'est même là, quand la fin sexuelle redevient aléatoire, que surgit quelque chose qui peut s'appeler la séduction ou le plaisir. Ou bien encore la jouissance peut n'être que le prétexte d'un autre jeu plus passionnant, plus passionnel — c'était ainsi dans *L'Empire des Sens,* où l'enjeu, à travers la jouissance, était bien plutôt d'aller au bout et au-delà de la jouissance — défi qui l'emporte sur l'opération pure du désir parce que sa logique est bien plus vertigineuse, parce qu'il est une passion, quand l'autre n'est qu'une pulsion.

Mais ce vertige peut jouer aussi bien dans le *refus* de jouissance. Qui sait si les femmes, loin d'être « spoliées », n'ont pas de tout temps joué triomphalement du droit de réserve sexuelle, c'est-à-dire lancé un défi du fond de leur non-jouissance, ou plutôt défié la jouissance des hommes de n'être que ce qu'elle est ? Nul ne sait à quelle profondeur destructrice peut aller cette provocation, ni quelle toute-puissance est la sienne. L'homme ne s'en est jamais sorti, réduit à jouir seul et à s'enfermer dans une sommation de plaisir et de conquête.

Qui a gagné dans ce jeu aux stratégies diverses ? Apparemment l'homme sur toute la ligne. Mais il n'est pas sûr qu'il ne se soit pas perdu et enlisé sur ce terrain, comme sur celui de la prise de pouvoir, dans une sorte de fuite en avant où nulle accumulation, nul calcul ne lui assure de salut, ni ne l'ôte au désespoir secret de ce qui lui échappe. Il fallait que ça cesse, et que les femmes jouissent. On allait prendre les moyens de les libérer et de les faire jouir — mettant fin à ce défi insupportable où finalement la jouissance s'annule dans une stratégie possible de la non-jouissance. Car la jouissance est sans stratégie : elle n'est qu'une énergie en quête de sa fin. Elle est donc bien inférieure à n'importe quelle stratégie qui peut l'utiliser comme matériel, et le désir lui-même comme élément tactique. C'est le thème central de la sexualité libertine du XVIIIe siècle, de Laclos à Casanova et Sade (y compris Kierkegaard dans le *Journal du Séducteur*), pour qui la sexualité est encore un cérémonial, un rituel et une stratégie avant qu'elle ne s'abîme, avec les Droits de l'Homme et la psychologie, dans la vérité révélée du sexe.

Voici donc venue l'ère de la pilule et de l'assignation à jouissance. Fin du droit de réserve sexuelle. Il faut que les femmes aient saisi qu'on les dépossédait de quelque chose d'essentiel pour qu'elles aient tellement résisté, par tout le spectre des actes « manqués », à l'adoption « rationnelle » de la pilule. Même résistance que celle de générations entières à l'école, à la médecine, à la sécurité, au travail. Même intuition profonde des ravages de la liberté, de la parole et de la jouissance sans entraves : le défi, l'autre défi n'est plus possible, toute logique symbolique est exterminée au profit du chantage à l'érection permanente (sans compter la baisse tendancielle du taux de jouissance lui-même ?).

La femme « traditionnelle » n'était ni refoulée ni interdite de jouissance : elle était tout entière dans son statut, nullement vaincue, nullement passive, et ne rêvant pas forcément de sa « libération » future. Ce sont les bonnes âmes qui voient rétrospectivement la femme de tout temps aliénée, puis libérée dans son désir. Et il y a un profond mépris dans cette vision, la même qu'envers les masses dites « aliénées » qu'on suppose n'avoir jamais été capables d'être autre chose qu'un cheptel mystifié.

Il est facile de dresser un tableau de la femme aliénée à travers les âges et de lui ouvrir aujourd'hui, sous les auspices de la révolution et de la psychanalyse, les portes du désir. Tout cela est tellement simple, tellement obscène dans sa simplicité — pire : c'est l'expression même du sexisme et du racisme : la commisération.

Heureusement le féminin n'en a jamais été l'image. Il a toujours eu sa stratégie propre, stratégie incessante et victorieuse de défi (dont une forme majeure est la séduction). Inutile de pleurer le tort qu'il a subi et de vouloir le réparer. Inutile de jouer aux justiciers du sexe faible. Inutile de suspendre tout à l'hypothèque d'une libération et d'un désir dont le secret serait enfin levé au XXe siècle. Les jeux se sont toujours joués tout entiers, avec toutes les cartes et tous les atouts, à chaque moment de l'histoire. Et les hommes ne l'ont pas gagné, pas du tout. Ce serait plutôt maintenant que les femmes seraient en train de le perdre, sous le signe de la jouissance précisément — mais ceci est une autre histoire.

C'est l'histoire actuelle du féminin dans une culture qui produit tout, qui fait tout parler, tout jouir, tout discourir. Promotion du féminin comme sexe à part entière (droits égaux, jouissance égale), du féminin comme valeur, aux dépens du féminin comme principe d'incertitude. Toute la libération sexuelle est dans cette stratégie d'imposition du droit, du statut, de la jouissance féminine. Surexposition et mise en scène du féminin comme sexe, et de la jouissance comme preuve multipliée du sexe.

Le porno, lui, le dit clairement. Trilogie de la béance, de la jouissance et de la signifiance, le porno n'est une promotion si exacerbée du féminin jouisseur que pour mieux enterrer l'incertitude qui planait sur le « continent noir ». Finie l' « éternelle ironie de la communauté » dont parlait Hegel. Désormais la femme jouira et saura pourquoi. Toute féminité sera rendue visible — femme emblème de la jouissance, jouissance emblème de la sexualité. Plus d'incertitude, plus de secret. C'est l'obscénité radicale qui commence.

Salo, ou les 120 Journées de Pasolini — véritable crépuscule de la séduction : toute réversibilité y a été abolie selon une logique implacable. Tout y est irréversiblement masculin et mort. Même la complicité, la promiscuité des bourreaux et des victimes dans le supplice a disparu : c'est un supplice inanimé, une perpétration sans affect, une machination froide (où on s'aperçoit que la jouissance est bien l'usufruit industriel des corps, et à l'opposé de toute séduction : la jouissance est un produit d'extraction, produit technologique d'une machinerie des corps, d'une logistique des plaisirs qui va droit au but, et ne retrouve que son objet mort).

Le film illustre cette vérité que dans un système masculin dominant, dans tout système dominant (qui devient par là même masculin), c'est la féminité qui incarne la réversibilité, la possibilité de jeu et d'implication symbolique. *Salo* est un univers complètement expurgé de ce minimum de séduction qui fait l'enjeu non seulement du sexe, mais de toute relation, y compris de la mort et de l'échange de la mort (ceci est exprimé, dans *Salo* comme chez Sade, par l'hégémonie de la sodomie). C'est là où il apparaît que le féminin n'est pas un sexe opposé à l'autre, mais ce qui renvoie au sexe de plein droit et de plein exercice, au sexe qui détient le monopole du sexe : le masculin, la hantise de quelque chose d'autre, *dont le sexe n'est que la forme désenchantée* : la séduction. Celle-ci est un jeu, le sexe est une fonction. La séduction est de l'ordre du rituel, le sexe et le désir sont de l'ordre du naturel. Ce qui s'affronte dans le féminin et le masculin, ce sont ces deux formes fondamentales, et non quelque différence biologique ou rivalité naïve de pouvoir.

Le féminin n'est pas seulement séduction, il est aussi défi au masculin d'être le sexe, d'assumer le monopole du sexe et de la jouissance, défi d'aller au bout de son hégémonie et de l'exercer à mort. C'est sous la pression de ce défi, incessant à travers toute l'histoire sexuelle de notre culture, que la phallocratie s'effondre aujourd'hui, faute de pouvoir le relever. Il est possible que toute notre conception de la sexualité s'effondre en même temps, puisqu'elle s'est édifiée autour de la fonction phallique et de la définition positive du sexe. Toute forme *positive* s'accommode fort bien de sa forme *négative*, mais connaît le défi mortel de la forme *réversible*. Toute structure s'accommode de l'inversion ou de la subversion, mais non de la réversion de ses termes. Cette forme réversible est celle de la séduction.

Non pas celle où les femmes auraient été historiquement reléguées, culture de gynécée, fards et dentelles, séduction revue par le stade du miroir et de l'imaginaire de la femme, terrain de jeux et de ruses sexuelles (encore que là se soit préservé, quand tous les autres disparaissaient, y compris celui de la politesse, le seul rituel du corps de la culture occidentale), mais la séduction comme forme ironique et alternative, qui brise la référence du sexe, espace non de désir, mais de jeu et de défi.

C'est ce qui transparaît dans le jeu le plus banal de la séduction : je me dérobe, tu ne me feras pas jouir, c'est moi qui te ferai jouer, et qui te déroberai ta jouissance. Jeu mouvant, dont il est faux de supposer qu'il n'est que stratégie sexuelle. Stratégie de déplacement bien plutôt (*se-ducere* : amener à l'écart, détourner de sa voie), de détournement de la vérité du sexe : jouer n'est pas jouir. Il y a là une sorte de souveraineté de la séduction, qui est une passion et un jeu de l'ordre du signe, et c'est elle qui l'emporte à long terme, parce que c'est un ordre réversible et indéterminé.

Les prestiges de la séduction sont bien supérieurs aux consolations chrétiennes de la jouissance. On veut nous faire prendre celle-ci pour une fin naturelle — et beaucoup deviennent fous de ne pas y atteindre. Mais aimer n'a rien à voir avec une pulsion, sinon dans le design libidinal de notre culture — aimer est un défi et un enjeu : défi à l'autre d'aimer en retour — être séduit, c'est défier l'autre de l'être (aucun argument plus subtil que d'accuser une femme d'être incapable d'être séduite). La perversion, sous cet aspect, prend un autre sens : c'est de *faire semblant d'être séduit,* mais sans l'être, et en étant incapable de l'être.

La loi de la séduction est d'abord celle d'un échange rituel ininterrompu, d'une surenchère où les jeux ne sont jamais faits, de qui séduit et de qui est séduit, pour la raison que la ligne de partage qui définirait la victoire de l'un, la défaite de l'autre, est illisible — et qu'il n'y a pas de limite à ce défi à l'autre d'être plus séduit encore, ou d'aimer plus que je l'aime, sinon la mort. Alors que le sexuel, lui, a une fin proche et banale : la jouissance, forme immédiate d'accomplissement de désir.

Roustang, dans *Un destin si funeste* (p. 142-143) :

> « On voit, dans l'analyse, quel extrême danger peut courir un homme qui se met à entendre la demande de jouissance de la femme. Si une femme, par son désir, altère l'inaltérabilité où l'homme ne peut pas ne pas l'enfermer, si elle devient elle-même demande immédiate et illimitée, si elle ne tient plus et n'y tient plus, l'homme se trouve rejeté dans un état subsuicidaire. Une demande qui ne souffre aucune dilation, aucune

excuse, qui est sans limite quant à l'intensité et à la durée, pulvérise l'absolu que représentait la femme, la sexualité féminine, et même la jouissance féminine... La jouissance féminine peut toujours être de nouveau divinisée, alors que la demande de jouissance de telle femme à laquelle l'homme est lié, sans pouvoir fuir, provoque chez lui la perte des repères et le sentiment de la pure contingence... Lorsque tout le désir passe dans la demande, c'est le monde renversé et l'éclat. Sans doute est-ce la raison pour laquelle notre culture avait appris aux femmes à ne rien demander pour les entraîner à ne rien désirer. »

Qu'en est-il d'un « désir qui passe tout entier dans la demande » ? S'agit-il encore du « désir » de la femme ? N'y a-t-il pas là une forme caractéristique de folie, qui n'a que peu de chose à voir avec une « libération » ? Qu'est-ce que cette configuration nouvelle, et féminine, d'une demande sexuelle illimitée, d'une exigence illimitée de jouissance ? Tel est en effet le point limite où s'engouffre toute notre culture — et elle recouvre, Roustang a raison, une forme de violence collective subsuicidaire — mais pas seulement pour l'homme : pour la femme aussi, et pour la sexualité en général.

« Nous disons non à ceux/celles qui n'aiment que les femmes ; ceux/celles qui n'aiment que les hommes ; ceux/celles qui n'aiment que les enfants (il y a aussi les vieux, les sados, les masos, les chiens, les chats)... Le nouveau militant, raffiné et égocentrique, revendique le droit de son racisme sexuel, de sa singularité sexuelle. Mais nous disons non à tout sectarisme. S'il faut devenir misogyne pour être pédéraste, androphobe pour être lesbienne,... s'il faut refuser les plaisirs de la nuit, les rencontres, les dragues du hasard pour se défendre du viol, c'est reconduire au nom de la lutte contre certains interdits d'autres tabous, d'autres moralismes, d'autres normes, d'autres œillères d'esclaves...

« Nous ressentons dans notre corps pas un sexe, ni deux, mais une multitude de sexes. Nous ne voyons pas l'homme, ni la femme, mais l'être humain, anthropomorphique (!)... Nous sommes fatiguées de tout notre corps de toutes les barrières culturelles stéréotypées, de toutes les ségrégations physiologiques... Nous sommes mâles et femelles, adultes et enfants, gouins, gouines et pédés, baiseuses, baiseurs, enculées, enculeuses. Nous n'acceptons pas de réduire à un sexe toute notre richesse sexuelle. Notre saphisme n'est qu'une facette de nos sexualités. Nous refusons de nous limiter à ce que la société exige de nous, à savoir d'être hétéro, lesbienne, pédé, et toute la gamme des produits publicitaires. Nous sommes déraisonnables dans tous nos désirs. »

(*Libé*, juillet 78,
Judith Belladonna Barbara Penton)

Frénésie d'un exercice sexuel illimité, ventilation exacerbée du désir dans la demande et dans la jouissance — n'y a-t-il pas là renversement de ce que dit Roustang : si on avait jusqu'ici appris aux femmes à ne rien demander pour les entraîner à ne rien désirer, ne leur apprend-on pas aujourd'hui à tout demander pour ne rien désirer ? Tout le continent noir décodé par la jouissance ?

Le masculin serait plus proche de la Loi, la féminité plus proche de la jouissance. Mais la jouissance n'est-elle pas elle-même l'axiomatique d'un univers sexuel décodé — référence féminine et libératrice produite par l'exténuation lente de la Loi, la jouissance forme exténuée de la Loi, la Loi devenue injonction de jouissance après en avoir été l'interdiction. Effet de stimulation inverse : c'est quand la jouissance se dit et se veut autonome, c'est alors qu'elle est véritablement un effet de la Loi. Ou bien la Loi s'effondre, et au lieu d'effondrement de la Loi, la jouissance s'inaugure comme un nouveau contrat. Qu'importe : rien n'a changé, et l'inversion des signes n'est qu'un effet de stratégie. Tel est le sens du retournement actuel, et du privilège jumelé du féminin et de la jouissance sur le masculin et l'interdit qui dominaient auparavant la raison sexuelle. L'exaltation du féminin est l'instrument parfait d'une généralisation sans précédent et d'une extension dirigée de la Raison sexuelle.

Destin inattendu qui coupe court à toutes les illusions désirantes et à toutes les rationalisations libératrices. Marcuse :

> « Ce qui dans le système patriarcal apparaît comme l'antithèse féminine des valeurs masculines constituerait alors vraiment une alternative sociale et historique réprimée — l'alternative socialiste... En finir avec la société patriarcale, c'est précisément nier l'attribution à la femme en

tant que femme de qualités spécifiques, c'est-à-dire faire s'épanouir ces qualités dans tous les secteurs de la vie sociale, dans le travail comme dans le loisir. La libération de la femme serait alors du même coup la libération de l'homme... »

(*Actuels,* Galilée, p. 33.)

Soit le féminin libéré mis au service d'un nouvel Eros collectif (même opération que pour la pulsion de mort — même dialectique de rabattement sur le nouvel Eros social). Mais qu'arrive-t-il si le féminin, loin d'être un ensemble de qualités spécifiques (ce qu'il fut peut-être dans le refoulement, et là seulement) s'avère, une fois « libéré », n'être que l'expression d'une *indétermination érotique,* et de la perte des qualités spécifiques, aussi bien dans la sphère du social que du sexuel ?

Il y avait une ironie puissante du féminin dans la séduction, il y en a une aussi puissante aujourd'hui dans son indétermination et dans cette ambiguïté qui fait que sa promotion en tant que sujet s'accompagne d'une recrudescence de son statut d'objet, c'est-à-dire d'une pornographie généralisée. Coïncidence étrange, sur laquelle échoue le féminisme libérateur, qui voudrait bien départager les deux. Mais ceci est sans espoir, car c'est dans son ambiguïté radicale que cette libération du féminin est significative. Même le texte de Roustang, qui tend à valoriser l'irruption de la demande féminine, ne peut pas ne pas laisser pressentir la catastrophe que constitue pour la femme aussi le passage du désir tout entier dans la demande. A moins de considérer l'état subsuicidaire provoqué chez l'homme par cette demande comme un argument décisif, rien ne permet de distinguer cette *monstruosité* de la demande et de la jouissance féminine de l'interdit total qui la frappait jadis.

Cette ambiguïté se retrouve aussi bien du côté du masculin et de sa défaillance. La panique provoquée chez l'homme par le sujet féminin « libéré » n'a d'égale que sa fragilité devant la béance pornographique du sexe féminin « aliéné », de l'objet sexuel féminin. Que la femme exige de jouir « par la prise de conscience de la rationalité de son propre désir » ou qu'elle s'offre à la jouissance dans un état de prostitution totale — que le féminin soit sujet ou objet, libéré ou prostitué, partout il se propose comme sommation de sexe, voracité béante, dévoration. Ce n'est pas un accident si tout le porno tourne autour du sexe féminin. C'est que l'érection n'est jamais sûre (pas de scènes d'impuissance dans le porno : elle est conjurée tout au long par l'hallucination d'une offre féminine sans frein). Dans une sexualité devenue problématique parce qu'elle est sommée de faire ses preuves et de se manifester sans discontinuer, la position marquée, masculine, est fragile. Le sexe féminin, lui, est égal à lui-même : dans sa disponibilité, dans sa béance, dans son degré zéro. Cette continuité du féminin, par opposition à l'intermittence du masculin, suffit à lui assurer une supériorité définitive au niveau de la représentation organique de la jouissance, au niveau de l'infini du sexe qui est devenu notre dimension phantasmatique.

La libération sexuelle, comme celle des forces productives, est potentiellement sans limites. Elle exige une profusion réalisée, « sex affluent society ». Elle ne saurait tolérer la rareté des biens sexuels, pas plus que des biens matériels. Or cette continuité et cette disponibilité *utopiques*, seul le sexe féminin peut l'incarner. C'est bien pourquoi tout dans cette société sera féminisé, sexualisé sur le mode féminin, les objets, les biens, les services, les relations en tous genres — dans la publicité, l'effet n'est pas tellement d'ajouter du sexe à une machine à laver (ceci est absurde) que de conférer à l'objet cette qualité imaginaire du féminin, d'être disponible à merci, jamais rétractile, jamais aléatoire.

C'est de cette monotonie béante que se berce la sexualité porno, où les hommes, flaccides ou érectiles, n'ont qu'un rôle dérisoire. Le hard core n'y a rien changé : le masculin n'intéresse plus parce qu'il est trop déterminé, trop marqué — phallus signifiant canonique — et par là trop fragile. La fascination va plus sûrement du côté du neutre, de la béance indéterminée, d'une sexualité mouvante et diffuse. Revanche historique du féminin après tant de siècles de refoulement et de frigidité ? Peut-être, mais plus sûrement : exténuation de la marque sexuelle, que ce soit celle, historique, du masculin, qui alimenta jadis tous les schèmes d'érectilité, de verticalité, d'ascendance, de croissance, de production, etc., pour se perdre aujourd'hui dans une simulation obsessionnelle de tous ces thèmes — ou de celle du féminin telle qu'elle s'est incarnée de tout temps dans la séduction. Aujourd'hui, derrière l'objectivation machinale des signes du sexe, c'est le masculin comme fragilité, et le féminin comme degré zéro qui l'emportent.

Nous sommes en effet dans une situation sexuelle originale de viol et de violence — violence faite au masculin « sub-suicidaire » par la jouissance féminine déchaînée. Mais il ne s'agit pas d'une inversion de la violence historique faite à la femme par la puissance sexuelle masculine. Il s'agit d'une violence de neutralisation, de dépression et d'effondrement du terme marqué devant l'irruption du terme non-marqué. Ce n'est pas une violence pleine, générique, mais une violence de dissuasion, *la violence du neutre,* la violence du degré zéro.

Tel est aussi le porno : violence du sexe neutralisé.

PORNO-STÉRÉO

Emmène-moi dans ta chambre et baise-moi
Il y a dans ton vocabulaire un je-ne-sais-quoi d'indéfinissable, et qui laisse à désirer

Philip Dick, *Le Bal des Schizos*

Turning everything into reality

Jimmy Cliff

Le trompe-l'œil ôte une dimension à l'espace réel, et c'est ce qui fait sa séduction. Le porno au contraire ajoute une dimension à l'espace du sexe, il le fait plus réel que le réel — c'est ce qui fait son absence de séduction.

Inutile de chercher quels phantasmes hantent le porno (fétichistes, pervers, scène primitive, etc.), car ils y sont barrés par le sucroît de « réalité ». Peut-être d'ailleurs le porno n'est-il qu'une allégorie, c'est-à-dire un forçage de signes, une entreprise baroque de sur-signification touchant au « grotesque » (littéralement : l'art « grotesque » des jardins rajoutait de la nature rocheuse comme le porno rajoute le pittoresque des détails anatomiques).

L'obscénité même brûle et consume son objet. C'est vu de trop près, on y voit ce qu'on n'avait jamais vu — votre sexe, vous ne l'avez jamais vu fonctionner, ni de si près, ni en général d'ailleurs, heureusement pour vous. Tout cela est trop vrai, trop proche pour être vrai. Et c'est cela qui est fascinant, le trop de réalité, l'hyperréalité de la chose. Le seul phantasme en jeu dans le porno, s'il en est un, n'est donc pas celui du sexe, mais du réel, et de son absorption dans autre chose que le réel, dans l'hyperréel. Le voyeurisme du porno n'est pas un voyeurisme sexuel, mais un voyeurisme de la représentation et de sa perte, un vertige de perte de la scène et d'irruption de l'obscène.

Par l'effet de zoom anatomique, la dimension du réel est abolie, la distance du regard laisse place à une représentation instantanée et exacerbée : celle du sexe à l'état pur, dépouillée non seulement de toute séduction, mais de la virtualité même de son image — sexe tellement proche qu'il se confond avec sa propre représentation : fin de l'espace perspectif, qui est aussi celui de l'imaginaire et du phantasme — fin de la scène, fin de l'illusion.

Pourtant l'obscénité n'est pas le porno. L'obscénité traditionnelle a encore un contenu sexuel de transgression, de provocation, de perversion. Elle joue sur le refoulement, avec une violence phantasmatique propre. Cette obscénité-là disparaît avec la libération sexuelle : la « désublimation répressive » de Marcuse est passée par là (même s'il n'est pas passé dans les mœurs, le triomphe mythique du défoulement, comme jadis celui du refoulement, est total). La nouvelle obscénité, comme la nouvelle philosophie, se lève sur le terrain de la mort de l'ancienne, et elle a un autre sens. Elle ne joue pas d'un sexe violent, d'un enjeu réel de sexe, mais d'un sexe neutralisé par la tolérance. Le sexe y est outrgeusement « rendu », mais c'est le rendu de quelque chose qui a été dérobé. Le porno en est la synthèse artificielle, il en est le festival, et non la fête. Quelque chose qui a été dérobé. Le porno en est la synthèse artificielle, il en est le festival, et non la fête. Quelque chose de néo, ou de rétro, comme on voudra, tel l'espace vert qui substitue à la nature défunte ses effets de chlorophylle, et qui pour cette raison participe de la même obscénité que le porno.

L'irréalité moderne n'est plus de l'ordre de l'imaginaire, elle est de l'ordre du plus de référence, du plus de vérité, du plus d'exactitude — elle consiste à tout faire passer dans l'évidence absolue du réel. Comme dans les peintures hyperréalistes, où vous discernez le grain de la peau d'un visage, microscopie inhabituelle, et qui n'a même pas le charme de l'inquiétante étrangeté. L'hyperréalisme n'est pas le surréalisme, c'est une vision qui traque la séduction à force de visibilité. On vous « en donne plus ». C'est déjà vrai de la couleur au cinéma ou à la télévision : on vous en donne tant, la couleur, le relief, le sexe en haute fidélité, avec les graves et les aigus (la vie, quoi !) que vous n'avez plus rien à ajouter, c'est-à-dire à donner en échange. Répression absolue : en vous en donnant *un peu trop*, on vous retranche tout. Méfiez-vous de ce qui vous est si bien « rendu » sans que vous l'ayez jamais donné !

Souvenir effarant, carcéral, obscène, celui de la quadriphonie japonaise : salle idéalement conditionnée, technique fantastique, musique à quatre dimensions, non seulement les trois de l'espace ambiant, mais une quatrième, viscérale, de l'espace interne — délire technique de restitution parfaite d'une musique (Bach, Monteverdi, Mozart !) *qui n'a jamais existé*, que personne n'a jamais entendue ainsi et qui n'est pas faite pour être entendue ainsi. D'ailleurs on ne l' « entend » pas, c'est autre chose, la distance qui fait qu'on *entend* une musique, au concert ou ailleurs, est abolie, on est investi de tous les côtés, il n'y a plus d'espace musical, c'est une simulation d'ambiance totale qui vous dépossède de toute perception analytique minimale qui fait le *charme* de la musique. Les Japonais ont simplement et en toute bonne foi, confondu le réel avec le plus de dimensions possibles. S'ils pouvaient faire de l'hexaphonie, ils le feraient. Or, cette quatrième dimension qu'ils ajoutent à la musique, c'est justement celle par laquelle ils vous castrent de toute jouissance *musicale*. Autre chose vous fascine alors (mais ce n'est plus de la séduction) : la perfection technique, la « haute fidélité », tout aussi obsessionnelle et puritaine que l'autre, la conjugale, mais cette fois on ne sait même plus à quel objet elle est fidèle, car nul ne sait où commence et où s'arrête le réel, ni donc le vertige de perfection qui s'obstine à le reproduire.

La technique en ce sens creuse sa propre tombe, car en même temps qu'elle perfectionne les moyens de synthèse, elle approfondit les critères d'analyse et de définition, si bien que la fidélité totale, l'exhaustivité en matière de réel devient à jamais impossible. Le réel devient un phantasme vertigineux d'exactitude qui se perd dans l'infinitésimal.

Déjà en regard du trompe-l'œil par exemple, qui fait l'économie d'une dimension, l'espace tridimensionnel « normal » constitue une dégradation, un appauvrissement *par excès de moyens* (tout ce qui est réel ou se veut réel constitue déjà une dégradation de ce genre). La quadriphonie, l'hyperstéréo, l'hifi constituent une dégradation définitive.

Le porno, c'est la quadriphonie du sexe. Il ajoute une troisième et une quatrième piste à l'acte sexuel. C'est l'hallucination du détail qui règne — déjà la science nous a habitués à cette microscopie, à cet excès de réel dans son détail microscopique, à ce voyeurisme de l'exactitude, du gros plan sur les structures invisibles de la cellule, à cette notion d'une vérité inexorable qui ne se mesure plus du tout au jeu des apparences et que seule la sophistication d'un appareil technique peut révéler. Fin du secret.

Que fait d'autre le porno, dans sa vision truquée, que de nous révéler lui aussi cette vérité inexorable et microscopique du sexe? Il est dans le droit fil d'une métaphysique qui ne vit que du phantasme d'une vérité cachée et de sa révélation, du phantasme d'une énergie « refoulée » et de sa *production* — sur la scène obscène du réel. D'où l'impasse de la pensée éclairée sur la question : doit-on censurer le porno et choisir le refoulement bien tempéré? Insoluble, car le porno a raison : il fait partie des ravages du réel, de l'illusion démente du réel et de sa « libération » objective. On ne peut pas libérer les forces productives sans vouloir « libérer » le sexe dans sa fonction brute : l'un et l'autre sont aussi obscènes. Corruption réaliste du sexe, corruption productiviste du travail — même symptôme, même combat.

L'équivalent de l'ouvrier à la chaîne, c'est ce scénodrame vaginal japonais, plus extraordinaire que n'importe quel strip-tease : des filles les cuisses ouvertes au bord d'une estrade, les prolos japonais en manches de chemise (c'est un spectacle populaire) admis à fourrer leur nez, leurs yeux jusque dans le vagin de la fille, pour voir, mieux voir — quoi ? — se grimpant les uns sur les autres pour y accéder, la fille leur parlant gentiment pendant tout ce temps-là d'ailleurs, ou les rabrouant pour la forme. Tout le reste du spectacle, flagellations, masturbations réciproques, strip traditionnel, s'efface devant ce moment d'obscénité absolue, de voracité de la vue qui dépasse de loin la possession sexuelle. Porno sublime : s'ils le pouvaient, les mecs s'engouffreraient tout entiers dans la fille — exaltation de mort ? Peut-être, mais en même temps ils commentent et comparent les vagins respectifs, et ceci sans jamais rire ou s'exclaffer, dans un sérieux mortel, et sans jamais essayer d'y toucher, sauf par jeu. Rien de lubrique : un acte extrêmement grave et enfantin, une fascination sans partage pour le miroir de l'organe féminin comme de Narcisse pour sa propre image. Bien au-delà de l'idéalisme conventionnel du strip-tease (peut-être même y aurait-il de la séduction là-dedans), à la limite sublime le porno s'inverse dans une obscénité purifiée, approfondie au domaine viscéral — pourquoi s'arrêter au nu, au génital : si l'obscène est de l'ordre de la représentation et non du sexe, il doit explorer l'intérieur même du corps et des viscères — qui sait quelle jouissance profonde de dépeçage visuel, de muqueuses et de muscles lisses, peut s'y déployer ? Notre porno n'a encore qu'une définition restreinte. L'obscénité a un avenir illimité.

Mais attention, il ne s'agit pas d'un approfondissement de la pulsion, il ne s'agit que d'une *orgie de réalisme* et d'une orgie de *production*. La rage (c'est peut-être une pulsion elle aussi, et qui se substitue à toutes les autres) de tout faire comparaître, de tout amener à la juridiction des signes. Que tout soit rendu à la lumière du signe, à celle d'une énergie visible. Que toute parole soit libérée, et qu'elle aille au désir. Nous nous vautrons dans cette libéralisation qui n'est que le processus grandissant de l'obscénité. Tout ce qui est caché, et qui jouit encore de l'interdit, sera déterré, rendu à la parole et à l'évidence. Le réel grandit, le réel s'élargit, un jour tout l'univers sera réel, et quand le réel sera universel, ce sera la mort.

Simulation porno : la nudité n'est jamais qu'un signe de plus. La nudité voilée par le vêtement fonctionne comme référent secret, ambivalent. Dévoilée, elle fait surface comme signe et rentre dans la circulation des signes : nudité design. Même opération avec le hard core et le blue porny : l'organe sexuel, béant ou érectile, n'est qu'un signe de plus dans la panoplie hyper-sexuelle. Phallus-design. Plus on avance éperdument dans la véracité du sexe, dans son opération sans voiles, plus on s'immerge dans l'accumulation des signes, plus on s'enferme dans une sursignification à l'infini, celle du réel qui n'existe déjà plus, celle d'un corps qui n'a jamais existé. Toute notre culture du corps, y compris dans l' « expression » de son « désir », dans la stéréophonie de son désir, est celle d'une monstruosité et d'une obscénité irrémédiable.

Hegel : « De même qu'en parlant de l'extérieur

du corps humain, nous avons dit que toute sa surface, par opposition à celle du monde animal, révèle la présence et la pulsation du cœur, nous disons de l'art qu'il a pour tâche de faire en sorte qu'à tous les points de sa surface le phénoménal, l'apparent devienne l'œil, siège de l'âme, se rendant visible à l'esprit. » Jamais de nudité donc, jamais de corps nu, et qui ne serait que nu — jamais de corps tout simplement. C'est ce que dit l'Indien quand il répond au Blanc qui lui demande pourquoi il vit nu : « Chez moi, tout visage. » Le corps dans une culture non fétichiste (qui ne fétichise pas la nudité comme vérité objective) ne s'oppose pas comme pour nous au visage, seul riche d'expression, seul doué de regard : il est lui-même visage et vous regarde. Il n'est donc pas obscène, c'est-à-dire fait pour être vu nu. Il ne *peut pas* être vu nu, pas plus que pour nous le visage, car il *est* voile symbolique, il n'est que cela, et c'est ce jeu de voiles, où à proprement parler le corps est aboli « en tant que tel » qui fait la séduction. C'est là où elle se joue, et jamais dans l'arrachement du voile au nom de la transpiration d'un désir ou d'une vérité.

Indistinction du corps et du visage dans une culture totale des apparences — distinction du corps et du visage dans une culture du sens (le corps y devient monstrueusement *visible,* il devient le signe d'un monstre appelé désir) — puis triomphe total, dans le porno, de ce corps obscène, jusqu'à effacement du visage : les modèles érotiques où les acteurs porno sont sans visage, ils ne sauraient être beaux, ou laids, ou expressifs, ceci est incompatible, la nudité fonctionnelle efface tout dans la seule spectacularité du sexe. Certains films ne sont plus que bruitage viscéral sur gros-plan coïtal : même le corps en a disparu, dispersé dans des objets partiels exorbitants. N'importe quel visage est inconvenant, car il brise l'obscénité et refait sens là où tout vise à l'abolir dans l'excès de sexe et le vertige de la nullité.

Au terme de cette dégradation vers une évidence terroriste du corps (et de son « désir »), les apparences n'ont plus de secret. Culture de la désublimation des apparences ; tout s'y matérialise sous les espèces les plus objectives. Culture porno par excellence que celle qui vise partout et toujours l'opération du réel. Culture porno que cette idéologie du concret, de la facticité, de l'usage, de la prééminence de la valeur d'usage, de l'infrastructure matérielle des choses, du corps comme infrastructure matérielle du désir. Culture unidimensionnelle où tout s'exalte dans le « concret de production » ou dans le concret de plaisir — travail ou copulation mécanique illimités. L'obscénité de ce monde est que rien n'y est laissé aux apparences, rien n'y est laissé au hasard. Tout y est signe visible et nécessaire. C'est celle de la poupée sexuée qu'on affuble d'un sexe, et qui pisse, et qui parle, et qui un jour fera l'amour. Réaction de la petite fille : « Ma petite sœur, elle sait faire ça aussi. Vous ne pouvez pas m'en donner une vraie ? »

Du discours de travail au discours du sexe, du discours de la force productive au discours de la pulsion court le même ultimatum de *pro-duction* au sens littéral du terme. L'acception originelle n'est pas en effet celle de fabrication, mais celle de rendre visible, de faire apparaître et comparaître. Le sexe est produit comme on produit un document, ou comme on dit d'un acteur qu'il se produit sur scène.

Produire, c'est matérialiser de force ce qui est d'un autre ordre, de l'ordre du secret et de la séduction. La séduction est partout et toujours ce qui s'oppose à la production. La séduction retire quelque chose de l'ordre du visible, la production érige tout en évidence, que ce soit celle d'un objet, d'un chiffre ou d'un concept.

Que tout soit produit, que tout se lise, que tout advienne au réel, au visible et au chiffre de l'efficacité, que tout se transcrive en rapports de force, en systèmes de concepts ou en énergie computable, que tout soit dit, accumulé, répertorié, recensé : tel est le sexe dans le porno, mais telle est plus généralement l'entreprise de toute notre culture, dont l'obscénité est la condition naturelle ; culture de la monstration, de la démonstration, de la monstruosité productive.

Jamais de séduction là-dedans, ni dans le porno, puisque production immédiate d'actes sexuels, actualité féroce du plaisir, aucune séduction dans ces corps traversés par un regard littéralement aspiré par le vide de la transparence — mais pas l'ombre de séduction non plus dans l'univers de la production, régi par le principe de transparence des forces dans l'ordre des phénomènes visibles et computables : objets, machines, actes sexuels ou produit national brut.

Ambiguïté insoluble : le porno met fin *par le sexe* à toute séduction, mais en même temps il met fin *au sexe* par accumulation des signes du sexe. Parodie triomphale et agonie simulée : c'est là son ambiguïté. En ce sens, le porno est vrai : il est ce qu'il en est d'un système de dissuasion sexuelle par hallucination, de dissuasion du réel par hyperréalité, de dissuasion du corps par sa matérialisation forcée.

On lui fait habituellement un double procès — celui de manipulation sexuelle à des fins bien connues de désamorçage de la lutte de classes (toujours la vieille « conscience mystifiée ») et celui d'être une corruption marchande du sexe — le vrai, le bon, celui qui se libère et qui fait partie du droit naturel. Donc le porno masque ou bien la vérité du capital et de l'infrastructure, ou bien celle du sexe et du désir. Or le porno ne masque rien du tout (c'est le cas de le dire) — il n'est pas une idéologie, c'est-à-dire qu'il ne cache pas la vérité, il est un simulacre, c'est-à-dire l'effet de vérité qui cache que celle-ci n'existe pas.

Le porno dit : il y a du bon sexe quelque part, puisque j'en suis la caricature. Dans son obscénité grotesque, il est une tentative pour sauver la vérité du sexe, pour rendre quelque crédibilité au modèle sexuel défaillant. Or, toute la question est là : y a-t-il du bon sexe, y a-t-il tout simplement du sexe quelque part, du sexe comme valeur d'usage idéale du corps, comme potentiel de jouissance qui puisse et qui doive être « libéré » ? C'est la question même posée à l'économie politique : au-delà de la valeur d'échange comme abstraction et inhumanité du capital, y a-t-il une « bonne » substance de la valeur, une valeur d'usage idéale des marchandises et du rapport social, qui puisse et doive être « libérée » ?

SÉDUCTION / PRODUCTION

En réalité le porno n'est que la limite paradoxale du sexuel. Exacerbation réalistique, obsession maniaque du réel : c'est ça l'obscène, étymologiquement et dans tous les sens. Mais le sexuel lui-même n'est-il pas déjà matérialisation forcée, l'avènement de la sexualité ne fait-il pas déjà partie de la réalistique occidentale, de l'obsession propre à notre culture d'instancier et d'instrumentaliser toutes choses ?

De même qu'il est absurde de dissocier dans d'autres cultures le religieux, l'économique, le politique, le juridique, voire le social et autres fantasmagories catégorielles pour la raison qu'elles n'y ont pas lieu et que ces concepts sont autant de maladies vénériennes dont nous les infectons pour mieux les « comprendre », ainsi est-il absurde d'autonomiser le sexuel comme instance, comme donnée irréductible, voire à laquelle les autres peuvent être réduites. Il faut faire une critique de la Raison sexuelle, ou plutôt une généalogie de la Raison sexuelle comme Nietzsche a fait une généalogie de la morale, car c'est notre nouvelle morale. On pourrait dire de la sexualité comme de la mort : « Elle est un pli auquel on a accoutumé la conscience il n'y a pas si longtemps. »

Nous restons incompréhensifs et vaguement compatissants devant ces cultures pour qui l'acte sexuel n'est pas une finalité en soi, pour qui la sexualité n'a pas ce sérieux mortel d'une énergie à libérer, d'une éjaculation forcée, d'une production à tout prix, d'une comptabilité hygiénique du corps. Qui préservent de longs processus de séduction et de sensualité, où la sexualité est un service parmi d'autres, une longue procédure de dons et de contre-dons, l'acte amoureux n'étant que le terme éventuel de cette réciprocité scandée selon un rituel inéluctable. Pour nous, cela n'a plus de sens, pour nous le sexuel est devenu strictement *l'actualisation d'un désir dans un plaisir* — tout le reste est littérature. Extraordinaire cristallisation sur la fonction orgastique, et plus généralement sur la fonction énergétique.

Nous sommes une culture de l'éjaculation précoce. De plus en plus toute séduction, toute manière de séduction qui est, elle, un processus hautement *ritualisé,* s'efface derrière l'impératif sexuel *naturalisé,* derrière la réalisation immédiate et impérative d'un désir. Notre centre de gravité s'est effectivement déplacé vers une économie libidinale qui ne laisse plus place qu'à une naturalisation du désir voué soit à la pulsion, soit au fonctionnement machinique, mais surtout à l'imaginaire du refoulement et de la libération.

Désormais il est dit non plus : « Tu as une âme et il faut la sauver », mais :

« Tu as un sexe, et tu dois en trouver le bon usage »

« Tu as un insconscient, et il faut que “ ça ” parle »

« Tu as un corps et il faut en jouir »
« Tu as une libido, et il faut la dépenser », etc.

Cette contrainte de liquidité, de flux, de circulation accélérée du psychique, du sexuel et des corps est l'exacte réplique de celle qui régit la valeur marchande : il faut que le capital circule, qu'il n'ait plus de point fixe, que la chaîne des investissements et réinvestissements soit incessante, que la valeur irradie sans trêve — ceci est la forme de la réalisation actuelle de la valeur, et la sexualité, le *modèle* sexuel en est le mode d'apparition au niveau des corps.

Le sexe comme modèle prend la forme d'une entreprise *individuelle* fondée sur une énergie *naturelle* : à chacun son désir et que le meilleur l'emporte (en jouissance). C'est la forme même du capital, et c'est bien pourquoi sexualité, désir et jouissance sont des valeurs *subalternes*. Lorsqu'elles apparaissent, il n'y a pas si longtemps, à l'horizon de la culture occidentale, comme système de référence, c'est comme valeurs déchues, résiduelles, idéal de classes inférieures, bourgeoises puis petites-bourgeoises, par rapport aux valeurs aristocratiques de sang et de naissance, de défi et de séduction, ou aux valeurs collectives, religieuses et sacrificielles.

Le corps d'ailleurs, ce corps auquel nous nous référons sans cesse, n'a d'autre réalité que celle du modèle sexuel et productif. C'est le capital qui enfante dans le même mouvement le corps énergétique de la force de travail et celui dont nous rêvons aujourd'hui comme sanctuaire du désir et de l'inconscient, de l'énergie psychique et de la pulsion, le corps pulsionnel que hantent les processus primaires — le corps lui-même devenu processus primaire, et par là anticorps, ultime référentiel révolutionnaire. C'est dans le refoulement que s'engendrent simultanément les deux, et leur antagonisme apparent n'est qu'un effet de redoublement. Redécouvrir dans le secret des corps une énergie libidinale « déliée », qui s'opposerait à l'énergie liée des corps productifs, redécouvrir une vérité phantasmatique et pulsionnelle du corps dans le désir, ce n'est encore que déterrer la métaphore psychique du capital.

Tel est le désir, tel est l'inconscient : crassier de l'économie politique, métaphore psychique du capital. Et la juridiction sexuelle est le moyen idéal, dans le prolongement fantastique de celle de la propriété privée, d'assigner à chacun la gestion d'un capital : capital psychique, capital libidinal, capital sexuel, capital inconscient, dont chacun va avoir à répondre devant lui-même, sous le signe de sa propre libération.

Fantastique réduction de la séduction. La sexualité telle qu'en elle-même la révolution du désir la change, ce mode de production et de circulation des corps n'est justement devenu ce qu'il est, elle n'a pu se parler en ces termes de « rapports sexuels » qu'en oubliant toute forme de séduction — de même que le social ne peut se parler en termes de « rapports » ou de « relations sociales » que lorsqu'il a perdu toute substance symbolique.

Partout où le sexe s'érige en fonction, en instance autonome, c'est qu'il a liquidé la séduction. Aujourd'hui encore il n'advient la plupart du temps qu'en lieu et place de la séduction manquante, ou comme résidu et mise en scène de la séduction ratée. *C'est alors la forme absente de la séduction qui est hallucinée sexuellement* — sous forme de désir. C'est dans cette liquidation du processus de séduction que prend force la théorie moderne du désir.

En place d'une forme séductive, c'est désormais le procès d'une forme productive, d'une « économie » du sexe : rétrospective d'une pulsion, hallucination d'un stock d'énergie sexuelle, d'un inconscient où s'inscrivent le refoulement et les frayages du désir : tout ceci, et le psychique en général, résultent de la forme sexuelle autonomisée — comme jadis la nature et l'économique furent le précipité de la forme autonomisée de la production. Nature et désir, tous deux idéalisés, se succèdent dans les schémas progressifs de libération, celle des forces productives jadis, celle aujourd'hui du corps et du sexe.

Naissance du sexuel, de la parole sexuelle, comme il y a eu naissance de la clinique, du regard clinique — *là où il n'y avait rien auparavant*, sinon des formes incontrôlées, insensées, instables, ou bien hautement ritualisées. Où il n'y avait donc pas non plus de refoulement, ce leitmotiv que nous faisons peser sur toutes les sociétés antérieures plus encore que sur la nôtre : nous les condamnons comme primitives du point de vue technologique, mais foncièrement aussi du point de vue sexuel et psychique, puisqu'elles ne concevaient ni le sexuel ni l'inconscient. La psychanalyse heureusement est venue lever cette hypothèque, elle a dit ce qui était caché, incroyable racisme de la vérité, racisme évangélique de la Parole et de son avènement.

Nous faisons comme si le sexuel était refoulé là où il n'apparaît pas pour lui-même, c'est notre façon de le sauver. Mais parler de sexualité refoulée sublimée, dans les sociétés primitives, féodales, etc., parler tout simplement de « sexualité » et d'inconscient dans ce cas est le signe d'une profonde bêtise. Il n'est même pas sûr que cette clef soit la meilleure pour notre société non plus. Sur cette base, celle d'une remise en cause de l'hypothèse même de la sexualité, d'une remise en cause du sexe et du désir comme instance spécifique, il est possible de rejoindre Foucault lorsqu'il dit (mais pas pour les mêmes raisons) qu'il n'y a pas, qu'*il n'y a jamais eu de refoulement dans notre culture non plus*.

La sexualité telle qu'on nous la raconte, telle qu'elle se parle, n'est sans doute, comme l'économie politique, qu'un montage, un simulacre qu'ont toujours traversé, déjoué, dépassé les pratiques, comme n'importe quel système. La cohérence et la transparence de l'*homo sexualis* n'a jamais existé davantage que celle de l'*homo oeconomicus*.

C'est un long processus qui fonde simultanément le psychique et le sexuel, qui fonde l' « autre scène », celle du phantasme et de l'inconscient, en même temps que l'énergie qui va s'y produire — énergie psychique qui n'est qu'un effet direct de l'hallucination scénique du refoulement, énergie hallucinée comme substance sexuelle, et qui va se métaphoriser, se métonymiser selon les diverses instances topiques, économiques, etc., selon toutes les modalités du refoulement secondaire, tertiaire — admirable édifice de la psychanalyse, la plus belle hallucination de l'arrière-monde, dirait Nietzsche. Extraordinaire efficacité de ce modèle de simulation énergétique et scénique — extraordinaire psychodrame théorique, cette mise en scène de la psyché, ce scénario du sexe comme d'une instance, d'une réalité indépassable (comme d'autres ont hypostasié la production). Qu'importe d'ailleurs que l'économique, le biologique ou le psychique fasse les frais de la mise en scène — qu'importe la « scène » ou « l'autre scène » : c'est tout le scénario de la sexualité (et de la psychanalyse) comme modèle de simulation qui est à remettre en cause.

Il est vrai que le sexuel, dans notre culture, a triomphé de la séduction, et se l'est annexé comme forme subalterne. Notre vision instrumentale a tout inversé. Car, dans l'ordre symbolique, c'est la séduction qui est là d'abord, et le sexe n'advient que par surcroît. Il en est du sexe comme de la guérison dans la cure analytique, ou de l'accouchement dans le récit de Lévi-Strauss : il advient en plus, sans relation de cause à effet — c'est tout le secret de l' « efficacité symbolique » : l'opération du monde résulte d'une *séduction* mentale — ainsi le boucher de Tchouang-Tseu et son intelligence de la structure interstitielle du bœuf, qui lui permet de la décrire sans jamais user le fil du couteau : sorte de résolution symbolique qui entraîne *par surcroît* une fin pratique.

La séduction opère elle aussi sur ce mode d'une articulation symbolique, d'une affinité duelle avec la structure de l'autre — le sexe peut en résulter par surcroît mais non nécessairement. Elle serait plutôt un défi à l'existence même de l'ordre sexuel. Et si notre « libération » a semblé renverser les termes et constituer un défi victorieux à l'ordre de la séduction, il n'est pas sûr que ce triomphe ne soit pas superficiel. La question de la supériorité profonde des logiques rituelles de défi et de séduction sur les logiques économiques du sexe et de la production reste entière.

Car toutes les libérations et les révolutions sont fragiles, et la séduction est inéluctable. C'est elle qui les guette — séduites qu'elles sont, malgré elles, par l'immense processus d'échec qui les détourne de leur vérité — c'est elle encore qui les guette jusque dans leur triomphe. Ainsi même le discours sexuel est continuellement menacé de dire autre chose que ce qu'il dit.

Dans un film américain : un mec drague une fille, prudemment, avec des formes. La fille rétorque, agressive : « What do you want ? Do you want to jump me ? Then, change your approach ! Say : I want to jump you ! » Et le mec, gêné : « Yes, I want to jump you. » « Then, go fuck yourself ! » Et plus tard lorsqu'il la reconduit en voiture : « I make coffee, and then you can jump me », etc. En fait, ce discours cynique, qui se veut objectif, fonctionnel, anatomique et sans nuances, n'est qu'un jeu. Jeu, défi, provocation passent en filigrane. Sa brutalité même est riche d'inflexions amoureuses et de complicité. C'est une nouvelle manière de séduction.

Ou encore cette histoire, tirée du *Bal des Schizos*, de Philip Dick :

« Emmène-moi dans ta chambre, et baise-moi. »

« Il y a dans ton vocabulaire quelque chose d'indéfinissable et qui laisse à désirer. »

On peut l'entendre comme : Ta proposition est inacceptable, il y manque la poésie du désir, elle est trop directe. Mais dans un sens le texte dit le contraire : que la proposition a quelque chose d' « indéfinissable » et qui par là *ouvre* la voie au désir.

L'invite sexuelle directe est trop directe justement pour être vraie, et du coup elle renvoie à autre chose.

La première version déplore l'obscénité de ce discours. La seconde est plus subtile : elle sait déceler le détour de l'obscénité, l'obscénité comme parure séductrice, et donc comme allusion « indéfinissable » au désir, l'obscénité trop brutale pour être vraie, trop impolie pour être malhonnête, — l'obscénité comme défi, et donc de nouveau comme séduction.

C'est qu'au fond la pure demande sexuelle, l'énoncé pur du sexe sont impossibles. On ne se libère pas de la séduction, et le discours anti-séduction est la dernière métamorphose du discours de séduction.

Le pur discours de la demande sexuelle est non seulement une absurdité par rapport à la complexité des relations affectives, — tout simplement il n'existe pas. Leurre de croire en la réalité du sexe et en la possibilité de le dire sans autre forme de procès, leurre de tout discours qui croit à la transparence — c'est aussi celui du discours fonctionnel, du discours scientifique, de tout discours de vérité : il est heureusement continuellement miné, dévoré, détruit, ou plutôt circonvenu, détourné, *séduit.* Subrepticement il se retourne contre lui-même, subrepticement un autre jeu, un autre enjeu viennent le dissoudre.

Bien sûr le porno, bien sûr la tractation sexuelle n'exercent aucune séduction. Ils sont abjects comme la nudité, abjects comme la vérité. Tout cela est la forme désenchantée du corps, comme le sexe est la forme abolie et désenchantée de la séduction, comme la valeur d'usage est la forme désenchantée des objets, comme le réel en général est la forme abolie et désenchantée du monde.

Mais aussi jamais la nudité n'abolira la séduction, car elle redevient instantanément autre chose, la parure hystérique d'un autre jeu, qui la dépasse. Il n'y a jamais de degré zéro, de référence objective, de neutralité, mais toujours et encore des enjeux. Tous nos signes semblent concourir aujourd'hui, comme le corps dans la nudité, comme le sens dans la vérité, à une objectivité définitive, forme entropique et métastable du neutre — qu'en est-il d'autre du corps nu, idéal-typique, des vacances, livré au soleil lui-même hygiénique et neutralisé, avec sa parodie luciférienne de bronzage — et pourtant y a-t-il jamais un arrêt des signes sur un point zéro du réel et du neutre, n'y a-t-il pas toujours réversion du neutre lui-même dans une nouvelle spirale d'enjeux, de séduction et de mort ?

Quelle séduction se cachait dans le sexe ? Quelle autre séduction, quel défi se cachent dans l'abolition des enjeux sexuels ? (même question sur un autre plan : quelle fascination, quel défi se cachent dans les masses, dans l'abolition de l'enjeu du social ?).

Toute description des systèmes désenchantés, toute hypothèse même sur le désenchantement des systèmes, sur l'irruption de la simulation, de la dissuasion, sur l'abolition des processus symboliques et la mort des référentiels, est peut-être fausse. Le neutre n'est jamais neutre. Il est ressaisi par la fascination. Mais redevient-il objet de séduction ?

Les logiques séductrices et agonistiques, les logiques rituelles sont plus fortes que le sexe. *Pas plus que le pouvoir, le sexe n'est jamais le fin mot de l'histoire.* Ainsi dans l'*Empire des Sens*, film dont le contenu est d'un bout à l'autre l'acte sexuel, la jouissance, dans son obstination, est ressaisie par une logique d'un autre ordre. Sexuellement parlant, le film est inintelligible, car la jouissance bien entendu mène à tout sauf à la mort. Or la folie qui s'empare du couple (ce n'est une folie que pour nous, en réalité c'est une logique rigoureuse) le mène aux extrémités où le sens n'est plus le sens, où l'exercice des sens n'a plus rien de sensuel. Il n'est pas non plus mystique ou métaphysique. C'est la logique du défi, dont l'impulsion naît d'une surenchère entre les partenaires. Plus précisément la péripétie essentielle est le passage d'une logique du plaisir, qui est celle du début, et où l'homme mène le jeu, à une logique du défi et de la mort, qui se fait sous l'impulsion de la femme — laquelle devient maîtresse du jeu, alors qu'elle n'était au début qu'objet du sexe. C'est par le féminin que s'opère le renversement de la valeur/sexe vers une logique séductrice et agonistique.

Rien là d'une perversion ou d'une pulsion morbide, ni d'une « affinité » d'Eros et de Thanatos ou d'une ambivalence du désir, ni de quelque interprétation venue de nos confins psycho-sexuels. Il ne s'agit pas de sexe ni d'inconscient. L'acte sexuel est vu comme un acte rituel, cérémoniel ou guerrier, dont la mort est le dénouement obligé (comme dans les tragédies antiques sur le thème incestueux), la forme emblématique de l'accomplissement du défi.

Ainsi l'obscène peut séduire, le sexe et le plaisir peuvent séduire. Même les figures les plus antiséductrices peuvent redevenir figures de séduction (on a dit du discours féministe qu'il retrouvait, au-delà de son inséduction totale, une sorte de séduction homosexuelle). Il suffit qu'elles passent au-delà de leur vérité, dans une configuration réversible qui est aussi celle de leur mort. Il en est de même de cette figure par excellence de l'antiséduction qu'est le pouvoir.

Le pouvoir séduit. Mais pas au sens vulgaire d'un désir des masses, d'un désir complice (tautologie qui revient à fonder la séduction dans le *désir des autres*) — non : il séduit par cette réversibilité qui le hante, et sur laquelle s'institue un cycle minimal. Pas plus de dominants et de dominés que de victimes et de bourreaux (« exploiteurs » et « exploités », ça, ça existe, bien séparés, de part et d'autre, parce qu'il n'y a pas de réversibilité dans la production mais justement : rien d'essentiel ne se passe à ce niveau-là). Pas de positions *séparées :* le pouvoir s'accomplit selon une relation *duelle,* où il jette à la société un défi, et où il est mis au défi d'exister. S'il ne peut s' « échanger » selon ce cycle minimal de séduction, de défi et de ruse, il disparaît tout simplement.

Au fond, le pouvoir n'existe pas : jamais n'existe l'unilatéralité d'un rapport de forces sur quoi s'instituerait une « structure » de pouvoir, une « réalité » du pouvoir et de son mouvement perpétuel. Ça, c'est le rêve du pouvoir tel qu'il nous est imposé par la raison. Mais rien ne se veut ainsi, tout cherche sa propre mort, y compris le pouvoir. Ou plutôt tout veut s'échanger, se réversibiliser, s'abolir dans un cycle (c'est pourquoi en effet il n'y a ni refoulement ni inconscient, car la réversibilité est toujours déjà là). *Cela seul séduit profondément.* Le pouvoir n'est séduisant que lorsqu'il redevient une sorte de défi pour lui-même, sinon il n'est qu'un exercice et ne satisfait qu'une logique hégémonique de la raison.

La séduction est plus forte que le pouvoir, parce qu'elle est un processus réversible et mortel, alors que le pouvoir se veut irréversible comme la valeur, cumulatif et immortel comme elle. Il partage toutes les illusions du réel et de la production, il se veut de l'ordre du réel et bascule ainsi dans l'imaginaire et la superstition de lui-même (avec l'aide des théories qui l'analysent, fût-ce pour le contester). La séduction, elle, n'est pas de l'ordre du réel. Elle n'est jamais de l'ordre de la force ni du rapport de forces. Mais précisément pour cela, c'est elle qui enveloppe tout le procès *réel* du pouvoir, comme tout l'ordre réel de la production, de cette réversibilité et désaccumulation incessantes — *sans lesquelles il n'y aurait ni pouvoir, ni production.*

C'est le vide qu'il y a derrière le pouvoir, ou au cœur même du pouvoir, au cœur de la production, c'est ce vide qui leur donne aujourd'hui une dernière lueur de réalité. Sans ce qui les réversibilise, les annule, les *séduit,* ils n'eussent même jamais pris force de réalité.

D'ailleurs le réel n'a jamais intéressé personne. Il est le lieu du désenchantement, le lieu d'un simulacre d'accumulation contre la mort. Rien de pire. Ce qui parfois le rend fascinant, rend la vérité fascinante, c'est la catastrophe imaginaire qu'il y a derrière. Croyez-vous que le pouvoir, l'économie, le sexe, tous ces grands trucs *réels* eussent tenu un seul instant sans la fascination qui les supporte, et qui leur vient justement du miroir inverse où ils se réfléchissent, de leur réversion continue, de la jouissance sensible et imminente de leur catastrophe ?

Particulièrement aujourd'hui le réel n'est plus que stockage de matière morte, de corps morts, de langage mort — sédimentation résiduelle. Encore aujourd'hui l'évaluation du *stock de réel* (la complainte écologique parle des énergies matérielles, mais elle cache que ce qui disparaît à l'horizon de l'espèce, c'est *l'énergie du réel*, la réalité du réel et la possibilité d'une gestion quelconque, capitaliste ou révolutionnaire, du réel) nous sécurise : si l'horizon de la production tend à s'évanouir, celui de la parole, du sexe, du désir peut encore prendre la relève. Libérer, jouir, donner la parole aux autres, la prendre — c'est du réel, ça, c'est de la substance, c'est du stock en perspective. Donc, du pouvoir.

Malheureusement non. C'est-à-dire : pas pour longtemps. Ça se dévore au fur et à mesure. On veut faire du sexe, comme du pouvoir, une instance irréversible, du désir une énergie irréversible (un *stock* d'énergie, est-il besoin de le dire, le désir n'est jamais loin du capital). Car nous n'accordons de sens, selon notre imaginaire, qu'à ce qui est irréversible : accumulation, progrès, croissance, production. La valeur, l'énergie, le désir sont des processus irréversibles — c'est le sens même de leur libération. (Injectez la moindre dose de réversibilité dans nos dispositifs économiques, politiques, institutionnels, sexuels, et tout s'effondre immédiatement.) C'est ce qui assure aujourd'hui à la sexualité cette autorité mythique sur les corps et les cœurs. Mais c'est aussi ce qui fait sa fragilité, comme de tout l'édifice de la production.

La séduction est plus forte que la production. Elle

est plus forte que la sexualité, avec laquelle il ne faut jamais la confondre. Elle n'est pas un processus interne à la sexualité, ce à quoi on la ravale généralement. Elle est un processus circulaire, réversible, de défi, de surenchère et de mort. C'est le sexuel au contraire qui en est la forme réduite, circonscrite en termes énergétiques de désir.

L'intrication du procès de séduction dans le procès de production et de pouvoir, l'irruption d'un minimum de réversibilité dans tout processus irréversible, qui le ruine et le démantèle en secret, tout en assurant ce continuum minimal de jouissance qui le traverse, sans quoi il ne serait rien, voilà ce qu'il faut analyser. En sachant que partout et toujours la production cherche à exterminer la séduction pour s'implanter sur la seule économie des rapports de forces — que partout le sexe, la production du sexe cherche à exterminer la séduction pour s'implanter sur la seule économie des rapports de désir.

C'est pourquoi il faut retourner entièrement, tout en en acceptant l'hypothèse, ce que décrit Foucault dans la *Volonté de Savoir*. Car Foucault n'a d'yeux que pour la *production* du sexe comme discours, il est fasciné par le déploiement irréversible et la saturation interstitielle d'un champ de parole, qui est en même temps l'institution d'un champ de pouvoir, culminant dans celui du savoir qui le réfléchit (ou qui l'invente). Mais où le pouvoir puise-t-il cette fonctionnalité somnambulique, cette vocation irrésistible à saturer l'espace ? S'il n'existe ni socialité ni sexualité que défrichées et mises en scène par le pouvoir, peut-être n'existe-t-il aussi de pouvoir que défriché et mis en scène par le savoir (la théorie) — auquel cas il convient de mettre en simulation tout l'ensemble, et d'inverser ce miroir trop parfait, même si les « effets de vérité » qu'il produit sont merveilleusement déchiffrables.

Et d'ailleurs : cette équation du pouvoir et du savoir, cette coïncidence de leurs dispositifs qui semble nous régir dans un champ tout entier balayé par elle, cette conjonction qui nous est donnée par Foucault comme pleine et opérationnelle, n'est peut-être que celle de deux astres morts, dont les derniers reflets s'éclairent l'un l'autre parce qu'ils ont perdu leur rayonnement propre ? Dans leur phase spécifique, originale, le pouvoir et le savoir se sont opposés, parfois violemment (ainsi d'ailleurs que le sexe et le pouvoir). S'ils se confondent aujourd'hui, n'est-ce pas sur la base d'une exténuation progressive de leur principe de réalité, de leurs caractères distinctifs, de leur énergie propre ? Leur conjonction annoncerait alors non pas une positivité redoublée, mais une indifférenciation jumelle, au terme de laquelle seuls leurs fantômes viendraient se mêler et nous hanter.

Derrière cette *stase* apparente du pouvoir et du savoir, qui semble planer et sourdre de partout, il n'y aurait au fond que des *métastases* du pouvoir, des proliférations cancéreuses d'une structure désormais affolée et désorganisée, et si le pouvoir se généralise et peut être détecté aujourd'hui à tous les niveaux (le pouvoir « moléculaire »), s'il devient un cancer au sens où ses cellules prolifèrent dans toutes les directions sans plus obéir au bon vieux « code génétique » du politique, c'est qu'il est lui-même atteint de cancer et en pleine décomposition. Ou encore qu'il est affligé d'hyperréalité et que c'est en pleine crise de simulation (de prolifération cancéreuse des seuls *signes* du pouvoir) qu'il atteint à cette diffusion généralisée et à cette saturation. Son opérationnalité somnambulique.

Il faut donc faire toujours et partout le pari de la simulation, prendre le revers des signes, qui, bien sûr, pris de face et de bonne foi, nous conduisent toujours à la réalité et à l'évidence du pouvoir. De même qu'ils nous conduisent à la réalité et à l'évidence du sexe et de la production. C'est ce positivisme qu'il faut prendre à revers, et c'est à cette réversion du pouvoir dans la simulation qu'il faut s'attacher. Le pouvoir lui-même ne fera jamais cette hypothèse, et il faut reprocher au texte de Foucault de ne pas la faire non plus, en quoi il renoue avec le leurre du pouvoir.

Il faut poser à l'ensemblc, obsédé par le plein du pouvoir et le plein du sexe, la question du vide — obsédé par le pouvoir comme expansion et investissement continu, lui poser la question de la réversion de ces espaces : réversion de l'espace du pouvoir, réversion de l'espace et de la parole sexuelle — fasciné qu'il est par la production, lui poser la question de la séduction.

2

Les abîmes superficiels

L'HORIZON SACRÉ DES APPARENCES

La *séduction* est ce qui ôte au discours son sens et le détourne de sa vérité. Elle serait donc l'inverse de la distinction psychanalytique du discours manifeste et du discours latent. Car le discours latent vient détourner le discours manifeste non pas *de* sa vérité, mais *vers* sa vérité. Il lui fait dire ce qu'il ne voulait pas dire, il y fait transparaître les déterminations, et les indéterminations profondes. Toujours la profondeur louche derrière la coupure, toujours le sens louche derrière la barre. Le discours manifeste a statut d'apparence travaillée, traversée par l'émergence d'un sens. L'interprétation est ce qui, brisant les apparences et le jeu du discours manifeste, délivrera le sens en renouant avec le discours latent.

Dans la séduction, à l'inverse, c'est en quelque sorte le manifeste, le discours dans ce qu'il a de plus « superficiel » qui se retourne sur l'ordonnance profonde (consciente ou inconsciente) pour l'annuler et lui substituer le charme et le piège des apparences. Apparences non du tout frivoles, mais lieu d'un jeu et d'un enjeu, d'une passion de détournement — séduire les signes eux-mêmes est plus important que l'émergence de n'importe quelle vérité — que l'interprétation néglige et détruit dans sa recherche d'un sens caché. Ce pour quoi elle est par excellence ce qui s'oppose à la séduction, ce pour quoi tout discours interprétatif est le moins séduisant qui soit. Non seulement ses ravages sont incalculables dans le domaine des apparences, mais il se pourrait bien qu'il y ait une profonde erreur dans cette quête privilégiée du sens caché. Car ce n'est pas ailleurs, dans un *hinterwelt* ou un inconscient qu'il faut chercher ce qui détourne un discours — ce qui le déplace véritablement, le « séduit » au sens propre, et le rend séduisant, c'est son apparence même, la circulation aléatoire ou insensée, ou rituelle et minutieuse, de ses signes en surface, ses inflexions, ses nuances, c'est tout cela qui efface la teneur de sens, et c'est cela qui est séduisant, alors que le sens d'un discours n'a jamais séduit personne. *Tout discours de sens veut mettre fin aux apparences,* c'est là son leurre et son imposture. Mais aussi une entreprise impossible : inexorablement le discours est livré à sa propre apparence, et donc aux enjeux de séduction, et donc à *son propre échec en tant que discours.* Mais peut-être aussi tout discours est-il secrètement tenté par cet échec et cette volatilisation de ses objectifs, de ses effets de vérité dans des effets de surface qui jouent comme miroir d'absorption, d'engloutissement du sens. Ce qui arrive en tout premier lieu lorsqu'un discours *se séduit lui-même,* forme originale par où il s'absorbe et se vide de son sens pour mieux fasciner les autres : séduction primitive du langage.

Tout discours est complice de ce ravissement, de cette dérivation séductrice, et si lui-même ne le fait pas, d'autres le feront à sa place. Toutes les apparences se conjurent pour combattre le sens, pour déraciner le sens intentionnel ou non et le reverser à un jeu, à une autre règle du jeu, arbitraire celle-ci, à un autre rituel insaisissable, plus aventureux, plus séduisant que la ligne directrice du sens. Ce contre quoi le discours a à se battre n'est pas tellement le secret d'un inconscient que l'abîme superficiel de sa propre apparence et s'il faut triompher de quelque chose, ce n'est pas des phantasmes et des hallucinations lourdes de sens et de contresens, mais bien de la brillante surface du non-sens et de tous les jeux qu'elle rend possibles. Ce n'est que depuis peu qu'on a réussi à éliminer cet enjeu de séduction, celui qui a pour espace l'horizon sacré des apparences, pour y substituer un enjeu « en profondeur », l'enjeu inconscient, l'enjeu de l'interprétation. Mais rien ne nous dit que cette substitution ne soit pas fragile et éphémère, que ce règne ouvert par la psychanalyse d'une hantise du discours latent, qui équivaut à généraliser à tous les niveaux le terrorisme et la violence de l'interprétation, nul ne sait si ce dispositif par lequel on a éliminé, ou cherché à éliminer toute séduction n'est pas lui-même un modèle de simulation bien fragile, qui ne se donne des airs de structure indépassable que pour mieux cacher tous les effets parallèles, les effets de séduction justement qui commencent de le ravager. Car le pire pour la psychanalyse est bien ceci : l'inconscient séduit, il séduit par ses rêves, il séduit par son concept, il séduit dès que « ça parle » et que ça a envie de parler, partout une structure double est en place, une structure parallèle de connivence des signes de l'inconscient et de leur échange, qui dévore l'autre, celle du « travail » de l'inconscient, celle, pure et dure, du transfert et du contre-transfert. Tout l'édifice psychanalytique meurt de s'être séduit lui-même et tous les autres avec. Soyons analystes l'éclair d'un instant et disons que c'est la revanche d'un refoulement originel, *le refoulement de la séduction* qui est à l'origine de l'émergence de la psychanalyse comme « science », dans la démarche de Freud lui-même.

L'œuvre de Freud se déroule entre deux extrémités qui remettent radicalement en cause l'édifice intermédiaire : entre la séduction et la pulsion de mort. De cette dernière conçue comme réversion de l'appareil antérieur (topique, économique) de la psychanalyse, nous avons parlé déjà dans *L'Echange Symbolique et la Mort*. De la première, qui rejoint l'autre par quelque affinité secrète, au-delà de bien des péripéties, il faut dire qu'elle est comme l'objet perdu de la psychanalyse.

> « Il est classique de considérer l'abandon par Freud de la théorie de la séduction (1897) comme un pas décisif dans l'avènement de la théorie psychanalytique et dans la mise au premier plan des notions de fantasme inconscient, de réalité psychique, de sexualité infantile spontanée, etc. »
>
> (*Vocabulaire de la psychanalyse*, Laplanche et Pontalis.)

La séduction comme forme originale se trouve renvoyée à l'état de « fantasme originaire » et ainsi traitée, selon une logique qui n'est plus la sienne, comme résidu, vestige, formation/écran dans la logique et la structure désormais triomphale de la réalité psychique et sexuelle. Loin de considérer ce ravalement de la séduction comme une phase normale de croissance, il faut penser que c'est un événement crucial et lourd de conséquences. Comme on sait, la séduction disparaîtra par la suite du discours psychanalytique, ou ne réapparaîtra que pour être de nouveau enfouie et oubliée, selon une reconduction logique de l'acte fondateur de dénégation du maître lui-même. Elle n'est pas simplement écartée comme élément secondaire par rapport à d'autres plus décisifs comme la sexualité infantile, le refoulement, l'Œdipe, etc., elle est niée comme forme dangereuse, dont l'éventualité peut être mortelle pour le développement et la cohérence de l'édifice ultérieur.

C'est exactement la même conjoncture pour Freud que pour Saussure. Celui-ci aussi avait commencé par décrire dans les *Anagrammes* une forme de langage, ou d'extermination du langage, une forme, minutieuse et rituelle, de déconstruction du sens et de la valeur. Puis il avait résilié tout cela pour passer à l'édification de la linguistique. Virage dû à l'échec manifeste de son entreprise de preuve ou renoncement à la position du *défi anagrammatique* pour passer à l'entreprise *constructive,* durable et scientifique, du mode de production du sens, à l'exclusion de son extermination possible ? Qu'importe, de toute façon, c'est de cette reconversion sans appel qu'est née la linguistique, et elle en constituera l'axiome et la règle fondamentale pour tous ceux qui continueront l'œuvre de Saussure. On ne revient pas sur ce qu'on a tué, et l'oubli du meurtre originel fait partie du déroulement logique et triomphal d'une science. Toute l'énergie du deuil et de l'objet mort passera dans la résurrection simulée des opérations du vivant. Encore faut-il dire que Saussure, lui du moins, eut l'intuition, sur la fin, de l'échec de cette entreprise linguistique, laissant planer une incertitude et entrevoir une défaillance, un leurre possible de cette si belle mécanique de substitution. Mais de tels scrupules, où transparaissait quelque chose de l'ensevelissement violent et prématuré des *Anagrammes*, furent parfaitement étrangers aux héritiers, qui se contentèrent de gérer une discipline, et que n'effleura plus jamais l'idée d'un abîme du langage, d'un abîme de séduction du langage, d'une opération radicalement différente d'absorption, et non de production de sens. Le sarcophage de la linguistique était bien scellé, et retombé dessus le linceul du signifiant.

Ainsi le linceul de la psychanalyse est-il retombé sur la séduction, linceul du sens caché, et d'un surcroît *caché* de sens, aux dépens de l'abîme superficiel des apparences, de la surface d'absorption, surface panique instantanée d'échange et de rivalités des signes que constitue la séduction (dont l'hystérie n'est qu'une manifestation « symptomatique », déjà contaminée par la structure latente du symptôme, et donc prépsychanalytique, et donc dégradée, ce pour quoi elle a pu servir de « matrice de conversion » pour la psychanalyse elle-même). Freud lui aussi a aboli la séduction pour mettre en place une mécanique d'*interprétation* éminemment opérationnelle, une mécanique de refoulement éminemment sexuelle, qui offre toutes les caractéristiques de l'objectivité et de la cohérence (si on fait abstraction de toutes les convulsions internes à la psychanalyse, qu'elles soient personnelles ou théoriques, par où se déjoue une si belle cohérence, par où resurgissent comme des morts-vivants tous les défis et toutes les séductions enterrées sous la rigueur du discours — mais au fond, diront les bonnes âmes, ça signifie que la psychanalyse est vivante? Freud du moins avait rompu avec la séduction et pris le parti de l'interprétation (jusqu'à la dernière métapsychologie qui, elle, très certainement, s'en écarte), mais tout le refoulé de cet admirable parti pris a resurgi dans les conflits et les péripéties de l'histoire de la psychanalyse, il est remis en jeu dans le déroulement de n'importe quelle cure (on n'en a jamais fini avec l'hystérie!), et ce n'est pas la moindre réjouissance que de voir déferler avec Lacan la séduction sur la psychanalyse, dans la forme hallucinée d'un jeu de signifiants dont la psychanalyse, dans sa forme et dans son exigence rigoureuse, dans la forme que lui a voulue Freud, se meurt aussi sûrement, bien plus sûrement que de sa banalisation institutionnelle.

La séduction lacanienne est certainement une imposture, mais elle corrige à sa façon, elle répare et expie l'imposture originelle de Freud lui-même, celle de la forclusion de la forme/séduction au profit d'une science qui n'en est même pas une. Le discours de Lacan, qui généralise une pratique séductrice de la psychanalyse, venge d'une certaine façon cette séduction forclose, mais sur un mode lui-même contaminé par la psychanalyse, c'est-à-dire toujours sous les traits de la Loi (du symbolique) — séduction captieuse qui s'exerce toujours sous les traits de la loi et de l'effigie du Maître régnant par le Verbe sur les masses hystériques inaptes à la jouissance...

C'est quand même bien d'une mort de la psychanalyse qu'il s'agit avec Lacan, d'une mort sous le coup du resurgissement triomphal mais posthume de ce qui fut nié au départ. N'est-ce pas là l'accomplissement d'un destin ? La psychanalyse aura du moins eu cette chance de finir par un Grand Imposteur après avoir commencé par un Grand Reniement.

Que le plus bel édifice de sens et d'interprétation qui ait été érigé s'écroule ainsi sous le poids et sous le jeu de ses propres signes redevenus, de termes lourds de sens qu'ils étaient, artifices d'une séduction sans frein, termes sans frein d'un échange complice et vide de sens (y compris dans la cure), devrait nous exalter et nous réconforter. C'est le signe que la vérité au moins nous sera épargnée (ce pour quoi seuls règnent les imposteurs). Et que ce qui pourrait apparaître comme l'échec de la psychanalyse n'est que la tentation, comme pour tout grand système de sens, de s'abîmer dans sa propre image à en perdre le sens, ce qui est bien le retour de flamme de la séduction primitive et la revanche des apparences. Alors, au fond, où est l'imposture ? Pour avoir refusé dès le départ la forme de la séduction, la psychanalyse n'était peut-être qu'un leurre, leurre de vérité, leurre de l'interprétation, que vient démentir et compenser le leurre lacanien de la séduction. Ainsi un cycle s'achève, sur lequel se lève peut-être la chance d'autres formes interrogatives et séductrices.

Il en fut de même de Dieu et de la Révolution. Ecarter toutes les apparences pour faire resplendir la vérité de Dieu fut le leurre des Iconoclastes. Car de vérité de Dieu il n'y en avait pas, et peut-être secrètement le savaient-ils, ce pour quoi leur échec procédait de la même intuition que celle des adorateurs d'images : *on ne peut vivre que de l'idée d'une vérité altérée*. C'est la seule façon de vivre de la vérité. L'autre est insupportable (précisément parce que *la vérité n'existe pas*). Il ne faut pas vouloir écarter les apparences (la séduction des images). Il faut que cette entreprise échoue pour que l'absence de vérité n'éclate pas. Ou l'absence de Dieu. Ou l'absence de Révolution. La Révolution n'est vivante que dans l'idée que tout s'y oppose, et particulièrement son double simiesque, parodique : le stalinisme. Le stalinisme est immortel parce qu'il sera toujours là pour cacher que la Révolution, la vérité de la Révolution n'existe pas, et donc en restitue l'espoir. « Le peuple, dit Rivarol, ne voulait pas la Révolution, il n'en voulait que le spectacle » — parce que c'est la seule façon de préserver la séduction de la Révolution, au lieu de l'abolir dans sa vérité.

« Nous ne croyons pas que la vérité reste la vérité quand on lui enlève son voile » (Nietzsche).

LE TROMPE-L'ŒIL OU LA SIMULATION ENCHANTÉE

Simulation désenchantée : le porno — plus vrai que le vrai — tel est le comble du simulacre.

Simulation enchantée : le trompe-l'œil — plus faux que le faux — tel est le secret de l'apparence.

Pas de fable, pas de récit, pas de composition. Pas de scène, pas de théâtre, pas d'action. Le trompe-l'œil oublie tout cela et le contourne par la figuration mineure d'objets quelconques. Les mêmes figurent dans les grandes compositions du temps, mais ici ils figurent seuls, ils ont comme éliminé le discours de la peinture — du coup ils ne « figurent » plus, ce ne sont plus des objets, et ils ne sont plus quelconques. Ce sont des signes blancs, des signes vides, qui disent l'anti-solennité, l'anti-représentation sociale, religieuse ou artistique. Déchets de la vie sociale, ils se retournent contre elle et parodient sa théâtralité : c'est pourquoi ils sont épars, juxtaposés au hasard de leur présence. Ceci même a un sens : *ces objets n'en sont pas.* Ils ne décrivent pas une réalité familière, comme le fait la nature morte, ils décrivent un vide, une absence, celle de toute hiérarchie figurative qui ordonne les éléments d'un tableau, comme elle le fait pour l'ordre politique.

Ce ne sont pas des figurants banals déplacés de la scène principale, ce sont des revenants qui hantent le vide de la scène. Leur séduction n'est donc pas celle, esthétique, de la peinture et de la ressemblance, mais celle, aiguë et métaphysique, de l'abolition du réel. Objets hantés, objets métaphysiques, ils s'opposent, dans leur réversion irréelle, à tout l'espace représentatif de la Renaissance.

Leur insignifiance est offensive. Seuls des objets sans référence, vidés de leur décor — ces vieux journaux, ces vieux livres, ces vieux clous, ces vieilles planches, ces déchets alimentaires — seuls des objets isolés, déchus, fantomatiques dans leur exinscription de tout récit, pouvaient tracer une hantise de la réalité perdue, quelque chose comme une vie antérieure au sujet et à sa prise de conscience. « A l'image transparente, allusive, qu'attend l'amateur d'art, le trompe-l'œil tend à substituer l'intraitable opacité d'une Présence » (Pierre Charpentrat). Simulacres sans perspective, les figures du trompe-l'œil apparaissent soudain, dans une exactitude sidérale, comme dénuées de l'aura du sens et baignant dans un éther vide. Apparences pures, elles ont l'ironie de trop de réalité.

Pas de nature dans le trompe-l'œil, pas de paysage, pas de ciel, pas de ligne de fuite ni de lumière naturelle. Pas de visage non plus, pas de psychologie ni d'historicité. Ici, tout est artefact, le fond vertical érige en signes purs des objets isolés de leur contexte référentiel.

Translucidité, suspens, fragilité, désuétude —

d'où l'insistance du papier, de la lettre (effrangée sur les bords), du miroir et de la montre, signes effacés et inactuels d'une transcendance évanouie dans le quotidien — miroir de planches usées où les nœuds et les lignes concentriques de l'aubier marquent le temps, telle une horloge sans aiguille qui laisse deviner l'heure : ce sont des choses qui ont déjà duré, c'est un temps qui a déjà eu lieu. Le seul relief est celui de l'anachronie, figure involutive du temps et de l'espace.

Pas de fruits ici, de viandes ou de fleurs, pas de corbeilles ni de bouquets, ni de toutes ces choses qui font les délices de la nature (morte). Celle-ci est charnelle, elle se dispose charnellement sur un plan horizontal, celui du sol ou de la table — parfois elle joue avec le déséquilibre, avec le bord déchiqueté des choses et la fragilité de leur usage, mais elle a toujours la pesanteur des choses réelles, soulignée par l'horizontalité, alors que le trompe-l'œil joue en apesanteur, marquée par le fond vertical. Tout y est en suspens, les objets comme le temps, et même la lumière et la perspective, car si la nature morte joue des volumes et des ombres classiques, les ombres portées du trompe-l'œil n'ont pas la profondeur venue d'une source lumineuse *réelle :* elles sont, comme la désuétude des objets, le signe d'un léger vertige qui est celui d'une vie antérieure, d'une apparence antérieure à la réalité.

Cette mystérieuse lumière sans origine, dont l'incidence oblique n'a plus rien de réel, est comme une eau sans profondeur, une eau stagnante, douce au toucher comme une mort naturelle. Ici, les choses ont depuis longtemps perdu leur ombre (leur substance). Autre chose que le soleil les éclaire, un astre plus irradiant, sans atmosphère, un éther sans réfraction —

peut-être la mort les illumine-t-elle directement, et leur ombre n'a que ce sens ? Cette ombre ne tourne pas avec le soleil, elle ne grandit pas avec le soir, elle ne bouge pas, elle est une frange inexorable. Elle ne relève pas du clair-obscur, ni d'une dialectique savante de l'ombre et de la lumière, qui fait encore partie du jeu de la peinture — alors que celle-ci n'est que la transparence des objets à un soleil noir.

On sent que ces objets se rapprochent du trou noir d'où nous vient la réalité, le monde réel, le temps ordinaire. Cet effet de décentrement en avant, cette avancée d'un miroir d'objets à la rencontre d'un sujet, c'est, sous l'espèce d'objets anodins, l'apparition du double qui crée cet effet de séduction, de saisissement caractéristique du trompe-l'œil : vertige tactile qui retrace le vœu fou du sujet d'étreindre sa propre image, et par là même de s'évanouir. Car la réalité n'est saisissante que lorsque notre identité s'y perd, ou lorsqu'elle resurgit comme notre propre mort hallucinée.

Velléité physique de saisir les choses, mais elle-même suspendue, et devenue par-là métaphysique — les objets du trompe-l'œil gardent la même prégnance fantastique qui est celle de la découverte de son image par l'enfant, quelque chose d'une hallucination immédiate antérieure à l'ordre perceptif.

S'il y a donc un miracle du trompe-l'œil, ce n'est jamais dans l'exécution réaliste — les raisins de Zeuxis, si vrais que les oiseaux viennent les picorer. Absurde. Ce n'est jamais dans le surcroît de réalité qu'il peut y avoir miracle, mais juste à l'inverse dans la défaillance soudaine de la réalité et le vertige de s'y abîmer. C'est cette perte de la scène du réel que traduit la familiarité *surréelle* des objets. Quand l'organisation hiérarchique de l'espace au privilège de l'œil et de la vision, quand cette simulation perspective — car ce n'est qu'un simulacre — se défait, autre chose surgit que, faute de mieux, nous exprimons sous les espèces du *toucher*, d'une hyperprésence tactile des choses, « comme si on pouvait les saisir ». Mais ce phantasme tactile n'a rien à voir avec notre sens du toucher : c'est une métaphore du « saisissement » qui est celui de l'abolition de la scène et de l'espace représentatif. Du coup, ce saisissement rejaillit sur le monde environnant dit « réel », en nous révélant que la « réalité » n'est jamais qu'un monde mis en scène, objectivé selon les règles de la profondeur, qu'elle est un *principe* sur l'observance duquel se règlent la peinture, la sculpture et l'architecture du temps, mais un principe seulement, et un simulacre auquel met fin l'hypersimulation expérimentale du trompe-l'œil.

Dans le trompe-l'œil il ne s'agit pas de se confondre avec le réel, il s'agit de produire un simulacre en pleine conscience du jeu et de l'artifice — en mimant la troisième dimension, de jeter le doute sur la réalité de cette troisième dimension — en mimant et en outrepassant l'effet de réel, de jeter un doute radical sur le principe de réalité.

Dessaisissement du réel *à travers l'excès même des apparences du réel*. Les objets y ressemblent trop à ce qu'ils sont, cette ressemblance est comme un état second, et leur vrai relief, à travers cette ressemblance *allégorique*, à travers la lumière diagonale, c'est celui de l'ironie du trop de réalité.

La profondeur y est inversée : au lieu que tout l'espace de la Renaissance s'ordonne selon une ligne de fuite en profondeur, dans le trompe-l'œil l'effet de perspective est en quelque sorte projeté en avant. Au lieu que les objets fuient panoramiquement devant l'œil qui les balaie (privilège d'un œil panoptique), ce sont eux ici qui « trompent » l'œil par une sorte de relief intérieur — non en ce qu'ils donneraient à croire à un monde réel qui n'est pas, mais en ce qu'ils déjouent la position privilégiée d'un regard. L'œil, au lieu d'être générateur d'un espace déployé, n'est que le point de fuite intérieur à la convergence des objets. Un autre univers se creuse vers le devant — *pas d'horizon*, pas d'horizontalité, c'est un miroir opaque dressé devant l'œil, et il n'y a rien derrière. Ceci est proprement la sphère de l'apparence — rien à voir, ce sont les choses qui vous voient, elles ne fuient pas devant vous, elles se portent au-devant de vous, avec cette lumière qui leur vient d'ailleurs, et cette ombre portée qui ne leur donne pourtant jamais une véritable troisième dimension. Car celle-ci, celle de la perspective, est toujours aussi celle de la mauvaise conscience du signe envers la réalité, et de cette mauvaise conscience toute la peinture est pourrie depuis la Renaissance.

De là vient, distincte de la jouissance esthétique, l'inquiétante étrangeté du trompe-l'œil, du jour étrange qu'il projette sur cette réalité toute neuve et occidentale qui se dégage triomphalement de la Renaissance : il en est le *simulacre ironique*. Il est ce que fut le surréalisme à la révolution fonctionnaliste du début du vingtième siècle — car le surréalisme n'est lui aussi que le délire ironique du principe de fonctionnalité. Non plus que le trompe-l'œil il ne fait exactement partie de l'art ni de l'histoire de l'art : leur dimension est métaphysique. Les figures du style ne sont pas leur affaire. Le point où ils nous attaquent, c'est l'effet même de réalité ou de fonctionnalité, donc aussi l'effet de conscience. Ils visent l'envers et le revers, ils défont l'évidence du monde. C'est pourquoi leur jouissance, leur séduction est radicale, même si elle est infime, car elle vient d'une *surprise* radicale des apparences, d'une vie antérieure au mode de production du monde réel.

A ce point, le trompe-l'œil n'est plus de la peinture. Comme le stuc, dont il est contemporain, il peut tout faire, tout mimer, tout parodier. Il devient le prototype d'un usage maléfique des apparences. Un jeu qui au XVIe siècle prend des dimensions fantastiques et finit par effacer les limites entre peinture, sculpture, architecture. Dans les peintures murales et de plafond de la Renaissance et du Baroque, la peinture et la sculpture se confondent. Dans les murals ou les rues en trompe-l'œil de Los Angeles, l'architecture est déçue et défaite par le leurre. Séduction de l'espace par les signes de l'espace. On a tant parlé de sa production, ne serait-il pas temps de parler de la séduction de l'espace ?

De l'espace politique lui aussi. Ainsi les studiolos du Duc d'Urbino, Federigo da Montefeltre, dans le palais ducal d'Urbino et de Gubbio : sanctuaires minuscules tout en trompe-l'œil au cœur de l'immense espace du palais. Celui-ci est le triomphe d'une perspective architecturale savante, d'un espace déployé selon les règles. Le studiolo est un microcosme inverse : coupé du reste de l'édifice, sans fenêtres, sans espace à proprement parler — *l'espace y est perpétré par simulation.* Si tout le palais constitue l'acte architectural par excellence, le discours manifeste de l'art (et du pouvoir), qu'en est-il de l'infime cellule du studiolo, qui jouxte la chapelle comme un autre lieu sacré, mais avec un fumet de sortilège ? Ce qui se trafique ici avec l'espace, et donc avec tout le système de représentations qui ordonne le palais et la république, n'est pas très clair.

Espace *privatissime,* il est l'apanage du Prince, comme l'inceste et la transgression furent le monopole des rois. Tout un retournement des règles du jeu a lieu ici en effet, qui laisserait ironiquement supposer, par l'allégorie du trompe-l'œil, que l'espace extérieur, celui du palais, et plus loin celui de la ville, que l'espace même du pouvoir, l'espace politique, *ne serait peut-être lui-même qu'un effet de perspective.* Un secret aussi dangereux, une hypothèse aussi radicale, le Prince se doit de la garder pour lui, par-devers lui, dans le secret le plus rigoureux : *car c'est justement le secret de son pouvoir.*

Quelque part depuis Machiavel les politiques l'ont peut-être toujours su : que c'est la maîtrise d'un espace *simulé* qui est à la source du pouvoir, que le politique n'est pas une fonction ou un espace *réels,* mais un modèle de simulation, dont les actes manifestes ne sont que l'effet réalisé. Ce point aveugle du palais, ce lieu retranché de l'architecture et de la vie publique, qui d'une certaine façon régit l'ensemble, non selon une détermination directe, mais par une sorte de réversion interne, de révolution de la règle opérée en secret comme dans les rituels primitifs, de trou dans la réalité, de transfiguration ironique — simulacre exact caché au cœur de la réalité, et dont celle-ci dépend dans toute son opération : *c'est le secret même de l'apparence*.

Ainsi le Pape, ou le Grand Inquisiteur, ou les grands Jésuites ou théologiens savaient que Dieu n'existait pas — c'était là leur secret et leur force. Ainsi le studiolo en trompe-l'œil de Montefeltre est le secret inverse de l'inexistence au fond de la réalité, secret de la réversibilité toujours possible de l'espace « réel » en profondeur, y compris l'espace politique — secret qui commande au politique et qui s'est bien perdu depuis, dans l'illusion de la « réalité » des masses.

I'LL BE YOUR MIRROR

Trompe-l'œil, miroir ou peinture, c'est le charme de cette *dimension de moins* qui nous ensorcèle. C'est cette dimension de moins qui fait l'espace de la séduction et devient source de vertige. Car si toutes choses ont pour vocation divine de trouver un sens, une structure où elles fondent leur sens, elles ont sans doute aussi pour nostalgie diabolique de se perdre dans les apparences, dans la séduction de leur image, c'est-à-dire de réunir ce qui doit être séparé en un seul effet de mort et de séduction. Narcisse.

La séduction est ce dont il n'y a pas de représentation possible, parce que la distance entre le réel et son double, la distorsion entre le Même et l'Autre y est abolie. Penché sur sa source, Narcisse se désaltère : son image n'est plus « autre », elle est sa propre surface qui l'absorbe, qui le séduit, telle qu'il ne peut que s'en approcher sans jamais passer au-delà, car il n'y a pas plus d'au-delà qu'il n'y a de lui à elle de distance réflexive. Le miroir de l'eau n'est pas une surface de réflexion, mais une surface d'absorption.

C'est pourquoi de toutes les grandes figures de la séduction : par le chant, par l'absence, par le regard ou par le fard, par la beauté ou par la monstruosité, par l'éclat, mais aussi par l'échec et par la mort, par le masque ou par la folie, qui hantent la mythologie et l'art, celle de Narcisse se détache avec une puissance singulière.

Non pas miroir-reflet, tel qu'en lui-même le sujet y serait changé — non pas stade du miroir, où le sujet se fonde dans l'imaginaire. Tout ceci est de l'ordre psychologique de l'altérité et de l'identité, ce n'est pas de l'ordre de la séduction.

Pauvre est toute théorie du reflet, et singulièrement l'idée que la séduction se fonderait dans l'attraction du même, dans une exaltation mimétique de sa propre image, ou dans le mirage idéal de la ressemblance. Ainsi Vincent Descombes, dans *L'Inconscient malgré lui* :

> « Ce qui séduit n'est pas tel ou tel tour féminin, mais bien que c'est *pour vous*. Il est séduisant d'être séduit, par conséquent c'est l'être-séduit qui est séduisant. En d'autres termes, la personne séduisante est celle où l'être séduit se retrouve. La personne séduite trouve dans l'autre ce qui la séduit, l'unique objet de sa fascination, à savoir son propre être tout fait de charme et de séduction, l'image aimable de soi... »

Toujours l'autoséduction et ses péripéties psychologiques. Or dans le *mythe* narcissique, il ne s'agit pas d'un miroir tendu à Narcisse pour qu'il s'y retrouve idéalement vivant, il s'agit du miroir comme absence de profondeur, comme abîme superficiel, qui n'est séduisant et vertigineux pour les autres que parce que chacun est le premier à s'y abîmer.

Toute séduction dans ce sens est narcissique, et le secret en est dans cette absorption mortelle. De là vient que les femmes, étant plus proches de cet autre miroir caché où elles ensevelissent leur corps et leur image, seraient aussi plus proches des effets de séduction. Les hommes, eux, ont de la profondeur, mais ils sont sans secret : d'où leur pouvoir et leur fragilité.

Si la séduction ne provient pas du mirage idéal du sujet, elle ne provient pas non plus du mirage idéal de la mort. Dans la version de Pausanias,

> « Narcisse avait une sœur jumelle, à laquelle il ressemblait extrêmement. Les deux jeunes gens étaient très beaux. La jeune fille mourut. Narcisse, qui l'aimait beaucoup, en ressentit une grande douleur, et un jour qu'il se vit dans une source, il crut d'abord voir sa sœur, et cela consola son chagrin. Bien qu'il sût que ce n'était pas sa sœur qu'il voyait, il prit l'habitude de se regarder dans les sources, pour se consoler de sa perte. »

Selon H.-P. Jeudy qui reprend cette version, Narcisse ne se séduit, ne conquiert son pouvoir de séduction qu'en épousant de manière mimétique l'image perdue, restituée par son propre visage, de sa sœur jumelle défunte.

Mais la relation mimétique avec l'image défunte est-elle vraiment nécessaire pour explorer le vertige narcissique ? Celui-ci n'a pas besoin d'une réfraction jumelle — il lui suffit de son propre leurre, qui est peut-être en effet celui de sa propre mort — et la mort est peut-être en effet toujours incestueuse — ceci ne fait qu'ajouter à son charme. L' « âme-sœur » en est la version spiritualisée. Les grandes histoires de séduction, celles de Phèdre, d'Yseult, sont des histoires incestueuses, et elles sont toujours fatales. Que faut-il en conclure, sinon que c'est la mort elle-même qui nous guette à travers l'inceste et sa tentation immémoriale, y compris *dans la relation incestueuse que nous entretenons avec notre propre image*? Celle-ci nous séduit parce qu'elle nous console par l'imminence de la mort du sacrilège de notre existence. Involuer dans notre image jusqu'à la mort nous console de l'irréversibilité d'être né et d'avoir à se reproduire. C'est par cette tractation sensuelle, incestueuse, avec elle, avec notre double, avec notre mort, que nous gagnons notre pouvoir de séduction.

« *I'll be your Mirror.* » « Je serai votre miroir » ne signifie pas « Je serai votre reflet » mais « Je serai votre leurre ».

Séduire, c'est mourir comme réalité et se produire comme leurre. C'est se prendre à son propre leurre et se mouvoir dans un monde enchanté. Telle est la puissance de la femme séductrice, qui se prend à son propre désir, et s'enchante elle-même d'être leurre, où les autres viendront se prendre à leur tour. Narcisse lui aussi se perd dans son image leurre : c'est ainsi qu'il se détourne de sa propre vérité, et par son exemple, devient modèle d'amour et détourne les autres de la leur.

La stratégie de la séduction est celle du leurre. Elle guette ainsi toutes choses qui tendent à se confondre avec leur propre réalité. Il y a là ressource d'une fabuleuse puissance. Car si la production ne sait que produire des objets, des signes réels, et en obtient quelque pouvoir, la séduction, elle, ne produit que du leurre, et elle en obtient tous les pouvoirs, dont celui de renvoyer la production et la réalité à son leurre fondamental.

Elle guette même l'inconscient et le désir, en refaisant de ceux-ci un miroir de l'inconscient et du désir. Car celui-ci n'emporte que pulsion et jouissance, mais l'enchantement commence au-delà — il est de se prendre à son propre désir. Tel est le leurre qui heureusement vient nous sauver de la « réalité psychique ». Tel est aussi le leurre de la psychanalyse qu'elle se prend à son propre désir de psychanalyse : elle entre ainsi en séduction, en auto-séduction, et en réfracte la puissance à ses fins propres.

Ainsi toute science, toute réalité, toute production ne font que reculer l'échéance de la séduction, qui brille comme non-sens, comme forme sensuelle et intelligible du non-sens, au ciel de leur propre désir.

> « Raison d'être du leurre. Comme le faucon qui revient vers le morceau de cuir rouge en forme d'oiseau, n'est-ce pas la même illusion qui, dans la répétition, confère une réalité absolue à l'objet qui capte ? Au-delà des croyances et des illusions, le leurre est en quelque sorte *la reconnaissance du pouvoir sans fin de la séduction.* Narcisse, ayant perdu sa sœur jumelle, en fait son deuil, dans et par la constitution du leurre attractant de son propre

visage. Ni conscience ni inconscient, la duperie se joue pleinement et se suffit à elle-même. » (H.-P. Jeudy.)

Le leurre peut aussi s'inscrire dans le ciel, il n'en a pas moins de puissance. C'est ainsi que chaque signe du Zodiaque a sa forme de séduction. Car chacun de nous cherche la grâce d'un destin insensé, chacun espère en le charme et la force qui lui viendraient d'une conjoncture absolument irrationnelle — telle est la puissance des signes du Zodiaque, et celle de l'horoscope. Nul ne devrait en rire, car celui qui a renoncé à séduire les astres est bien plus triste encore. Le malheur de beaucoup vient en effet de n'être pas dans le champ du ciel, dans le champ des signes qui leur conviendrait, c'est-à-dire au fond de n'être pas séduits par leur naissance et la constellation de leur naissance. Ils porteront ce destin toute leur vie, et leur mort même viendra à contretemps. Ne pas être séduit par son signe est beaucoup plus grave que de ne pas être récompensé de ses mérites ou gratifié dans ses affects. Le discrédit symbolique est toujours beaucoup plus grave que le déficit ou le malheur réels.

D'où l'idée charitable de fonder un Institut de Sémiurgie Zodiacale où, comme par la chirurgie esthétique dans l'apparence du corps, puissent se réparer les injustices du Signe et que soit enfin rendu aux orphelins de l'horoscope le Signe de leur choix, afin de les réconcilier avec eux-mêmes. Le succès en serait foudroyant, au moins égal à celui des motels-suicide où les gens viendraient mourir à leur guise.

LA MORT A SAMARKANDE

Ellipse du signe, éclipse du sens — leurre. Distraction mortelle qu'un seul signe opère en un instant.

Telle l'histoire du soldat qui rencontre la Mort au détour d'un marché, et croit lui voir faire un geste menaçant à son égard. Il court au palais du Roi lui demander son meilleur cheval pour fuir la Mort pendant la nuit, loin, très loin, jusqu'à Samarkande. Sur quoi le Roi convoque la Mort au palais pour lui reprocher d'épouvanter ainsi un de ses meilleurs serviteurs. Mais celle-ci étonnée lui répond : « Je n'ai pas voulu lui faire peur. C'était seulement un geste de surprise, de voir ici ce soldat, alors que nous avions rendez-vous dès demain à Samarkande. »

Bien sûr : c'est en cherchant à échapper à son destin qu'on y court plus sûrement. Bien sûr : chacun cherche sa propre mort, et les actes manqués sont les plus réussis. Bien sûr, les signes suivent des cheminements inconscients. Tout cela est sans doute la *vérité* du rendez-vous à Samarkande, mais ne rend pas compte de la *séduction* de ce récit, qui n'est justement pas un apologue de vérité.

Ce qui est stupéfiant, c'est que ce rendez-vous

inéluctable n'aurait pas eu lieu, rien ne permet de penser que le soldat s'y serait trouvé sans le hasard de cette rencontre, auquel s'ajoute le hasard du geste *naïf* de la mort, *qui joue malgré elle comme geste de séduction*. Si la mort se contentait de rappeler le soldat à l'ordre, l'histoire serait sans charme, alors qu'ici tout se joue sur un seul signe involontaire. La mort apparaît sans stratégie, sans même de ruse inconsciente, et du coup elle prend la profondeur inattendue de la séduction, c'est-à-dire de ce qui passe à côté, du signe qui chemine comme une injonction mortelle à l'insu même des partenaires (à l'insu même de la mort, et non seulement du soldat), du signe aléatoire derrière lequel s'opère une autre conjonction merveilleuse ou néfaste. Conjonction qui donne à la trajectoire de ce signe toutes les caractéristiques d'un *trait d'esprit*.

Personne n'a rien à se reprocher dans cette histoire — ou bien le Roi, qui a prêté son cheval, est tout aussi coupable. Non : derrière la liberté apparente des sujets (la mort est libre de faire un geste, le soldat est libre de fuir), chacun a suivi une règle que ni lui ni l'autre ne connaissent. La règle de ce jeu, qui doit, comme toute règle fondamentale, rester secrète, c'est que la mort n'est pas un événement brut et qu'*elle doit, pour s'accomplir, passer par la séduction*, c'est-à-dire par une complicité instantanée et indéchiffrable, par un signe, un seul peut-être, qui n'aura pas été déchiffré.

La mort n'est pas un destin objectif, mais un rendez-vous. Elle-même ne peut pas ne pas y aller puisqu'elle *est* ce rendez-vous, c'est-à-dire la conjonction allusive de signes et de règles qui font jeu. La mort elle-même n'en est qu'un élément innocent, et ceci fait l'ironie secrète du récit, par où il se distingue d'un apologue moral ou d'une vulgaire histoire de pulsion de mort, et se résout en nous comme un trait d'esprit, dans le sublime du plaisir. Le trait spirituel du récit y redouble le trait d'esprit gestuel de la mort, et les deux séductions, celle de la mort, celle de l'histoire, se confondent.

C'est l'étonnement de la mort qui est ravissant, l'étonnement d'un agencement si frivole, et que les choses aillent ainsi au hasard : « Ce soldat aurait quand même dû savoir qu'il devait être demain à Samarkande, et prendre son temps pour y être... » Pourtant elle n'a qu'un geste d'étonnement, comme si son existence ne dépendait pas tout autant que celle du soldat du fait qu'ils se rencontrent à Samarkande. Elle laisse faire, et c'est cette désinvolture vis-à-vis d'elle-même qui fait son charme — ce pour quoi le soldat se hâte de la rejoindre.

Ni inconscient, ni métaphysique, ni psychologie dans tout cela. Pas même de stratégie. La mort n'a pas de plan. Elle répare le hasard par le hasard d'un geste, c'est ainsi qu'elle travaille, et pourtant tout s'accomplira. Rien n'aurait pu ne pas s'accomplir, et pourtant tout garde la légèreté du hasard, du geste furtif, de la rencontre accidentelle, du signe illisible. Ainsi va la séduction...

D'ailleurs le soldat est allé à la mort pour avoir donné un sens à un geste qui n'en avait pas, et qui ne le concernait pas. Il a pris pour lui quelque chose qui ne lui était pas adressé, comme on prend pour soi un sourire qui passe légèrement à gauche et s'en va vers quelqu'un d'autre. Là est le comble de la séduction : de ne pas en avoir. L'homme séduit est pris malgré lui dans le réseau des signes qui se perdent.

Et c'est parce que le signe est détourné de son sens, c'est parce qu'il est « séduit » que cette histoire elle-même est séduisante. C'est quand les signes sont séduits qu'ils deviennent séduisants.

Seuls nous absorbent les signes vides, insensés, absurdes, elliptiques, sans références.

Un petit garçon demande à la fée de lui accorder ce qu'il désire. La fée accepte à une seule condition, celle de ne jamais penser à la couleur rouge de la queue du renard. « Si ce n'est que cela ! » répond-il avec désinvolture. Et le voilà parti pour être heureux. Mais que se passe-t-il ? Il n'arrive pas à se débarrasser de cette queue de renard, qu'il croyait déjà avoir oubliée. Il la voit poindre partout, dans ses pensées et dans ses rêves, avec sa couleur rouge. Impossible de l'écarter, malgré tous ses efforts. Le voilà obsédé, à tout instant, par cette image absurde et insignifiante, mais tenace, et renforcée de tout le dépit qu'il a de ne pouvoir s'en débarrasser. Non seulement les promesses de la fée lui échappent, mais il y perd le goût de vivre. Il est peut-être mort quelque part sans avoir jamais pu s'en défaire.

Histoire absurde, mais d'une vraisemblance absolue, car elle fait apparaître *la puissance du signifiant insignifiant,* la puissance du signifiant insensé.

La fée était maligne (ce n'était pas une bonne fée). Elle savait que l'esprit est irrésistiblement envoûté par la place laissée vide par le sens. Ici, le vide est comme provoqué par l'insignifiance (ce pourquoi l'enfant s'en méfie si peu) de la couleur rouge de la queue du renard. Ailleurs les mots et les gestes seront vidés de leur sens par la répétition et la scansion inlassables : fatiguer le sens, l'user, l'exténuer pour libérer la séduction pure du signifiant nul, du terme vide — telle est la force de la magie rituelle et de l'incantation.

Mais ce peut être aussi bien la fascination directe du vide, comme dans le vertige physique du gouffre, ou dans le vertige métaphorique d'une porte qui ouvre sur le vide. « Cette porte ouvre sur le vide. » Si vous lisez cela sur un panneau, résisterez-vous à l'envie de l'ouvrir ?

Ce qui ne donne sur rien, on a toutes les raisons de l'ouvrir. Ce qui ne veut rien dire, on a toutes les raisons de ne jamais l'oublier. Ce qui est arbitraire est aussi doué d'une nécessité totale. Prédestination du signe vide, précession du vide, vertige de l'obligation dénuée de sens, passion de la nécessité.

C'est un peu le secret de la magie (la fée était magicienne). La vertu d'un mot, son « efficacité symbolique » est la plus haute lorsqu'il est proféré dans le vide, lorsqu'il est sans contexte ni référentiel et prend force alors de self-fulfilling prophecy (ou de self-defeating prophecy). La couleur rouge de la queue du renard est de cet ordre. Irréelle et sans consistance. Elle s'impose parce qu'elle n'est rien. Si la fée lui avait interdit quelque chose de grave ou de significatif, l'enfant s'en fût fort bien tiré, il n'eût pas été séduit malgré lui — car ce n'est pas l'interdit, *c'est le non-sens de l'interdit qui le séduit*. Ainsi les prophéties invraisemblables se réalisent toutes seules, contre toute logique il suffit qu'elles ne passent pas par le sens. Sinon, ce ne seraient pas des prophéties. Tel est le sortilège de la parole magique, tel est l'ensorcellement de la séduction.

C'est pourquoi ni la magie ni la séduction ne sont de l'ordre du croire ou du faire croire, car elles usent de signes sans crédibilité, de gestuels sans référence, dont la logique n'est pas celle de la médiation, mais celle de l'immédiateté de tout signe, quel qu'il soit.

Pas besoin de preuves : chacun sait que le charme est dans cette réverbération immédiate des signes — pas de temps intermédiaire, de temps légal du signe et de son déchiffrement. Ni croire, ni faire, ni vouloir, ni savoir : les modalités du discours lui sont étrangères, et aussi bien la logique distincte de l'énoncé et de l'énonciation. Le charme est toujours de l'ordre de l'annonce et de la prophétie, d'un discours dont l'efficacité symbolique ne passe ni par le déchiffrement ni par la croyance.

L'attraction immédiate du chant, de la voix, du parfum. Celle de la panthère parfumée (Détienne : « Dionysos mis à mort »). Selon les Anciens, la panthère est le seul animal qui émet une odeur parfumée. Elle utilise ce parfum pour capturer ses victimes. Il lui suffit de se cacher (car sa vue les terrifie), et son parfum les ensorcèle — piège invisible où ils viennent se prendre. Mais on peut retourner contre elle ce pouvoir de séduction : on la chasse en l'attirant par des parfums et des aromates.

Mais qu'est-ce que dire que la panthère séduit par son parfum ? Qu'est-ce qui séduit dans le parfum ? (et d'ailleurs, qu'est-ce qui fait que cette légende même est séduisante ? Quel est le parfum de cette légende ?) Qu'est-ce qui séduit dans le chant des Sirènes, dans la beauté d'un visage, dans la profondeur d'un gouffre, dans l'imminence de la catastrophe, comme dans le parfum de la panthère ou dans la porte qui s'ouvre sur le vide ? Une force d'attraction cachée, la puissance d'un désir ? Termes vides. Non : la résiliation des signes, la résiliation de leur sens, la pure apparence. Les yeux qui séduisent n'ont pas de sens, ils s'épuisent dans le regard. Le visage maquillé s'épuise dans son apparence, dans la rigueur formelle d'un travail insensé. *Surtout pas un désir signifié, mais la beauté d'un artifice.*

Le parfum de la panthère est lui aussi un message insensé — et, derrière, la panthère est invisible, comme la femme sous le maquillage. On ne voyait pas non plus les Sirènes. L'ensorcellement est fait de ce qui est caché.

La séduction des yeux. La plus immédiate, la plus pure. Celle qui se passe de mots, seuls les regards s'enchevêtrent dans une sorte de duel, d'enlacement immédiat, à l'insu des autres, et de leur discours : charme discret d'un orgasme immobile, et silencieux. Chute d'intensité lorsque la tension délicieuse des regards se dénoue en mots par la suite, ou en gestes amoureux. Tactilité des regards où se résume toute la substance virtuelle des corps (de leur désir ?) en un instant subtil, comme en un trait d'esprit — duel voluptueux et sensuel, et désincarné à la fois — épure parfaite du vertige de la séduction, et qu'aucune volupté plus charnelle n'égalera par la suite. Ces yeux-là sont accidentels, mais c'est comme s'ils s'étaient depuis toujours posés sur vous. Dénués de sens, ce ne sont pas des regards qui s'échangent. Nul désir ici. Car le désir est sans charme, mais les yeux, eux, comme les apparences fortuites, ont du charme, et ce charme est fait de signes purs, intemporels, duels et sans profondeur.

Tout système qui s'absorbe dans une complicité totale, telle que les signes n'y ont plus de sens, exerce par là même un pouvoir de fascination remarquable. Les systèmes fascinent par leur ésotérisme, qui les préserve des logiques externes. La résorption de tout réel par ce qui se suffit à lui-même et s'anéantit en lui-même est fascinant. Que ce soit un système de pensée ou un mécanisme automatique, une femme ou un objet parfait et inutile, un désert de pierre ou une strip-teaseuse (qui doit se caresser et s' « enchanter » elle-même pour exercer son pouvoir) — ou Dieu bien sûr, la plus belle des machines ésotériques.

Ou l'absence à elle-même de la femme dans le maquillage, absence du regard, absence du visage — comment ne pas s'y abîmer? La beauté est ce qui s'abolit en soi-même, et par là constitue un défi que nous ne pouvons relever que par la perte éblouie de... quoi? de ce qui n'est pas elle. La beauté absorbée par le pur soin qu'elle a d'elle-même est immédiatement contagieuse parce que, à l'excès de soi, elle est retirée de soi, et que toute chose retirée de soi plonge dans le secret et absorbe ce qui l'entoure.

L'attraction par le vide est au fond de la séduction, jamais l'accumulation des signes, ni les messages du désir, mais la complicité ésotérique dans l'absorption des signes. C'est dans le secret que se noue la séduction, dans cette lente ou brutale exténuation du sens qui fonde une complicité des signes entre eux, c'est là, plus que dans un être physique ou la qualité d'un désir, qu'elle s'invente. C'est aussi ce qui fait l'enchantement de la règle du jeu.

LE SECRET ET LE DÉFI

Le secret.

Qualité séductrice, initiatique, de ce qui ne peut être dit parce que ça n'a pas de sens, de ce qui n'est pas dit lorsque ça circule quand même. Ainsi je sais le secret de l'autre mais je ne le dis pas et lui sait que je le sais, mais ne lève pas le voile : l'intensité entre les deux n'est rien d'autre que ce secret du secret. Cette complicité n'a rien à voir avec une information cachée. D'ailleurs les partenaires voudraient-ils lever le secret qu'ils ne le pourraient pas, car il n'y a rien à dire... Tout ce qui peut être révélé passe à côté du secret. Car il n'est pas un signifié caché, il n'est pas la clef de quelque chose, il circule et passe à travers tout ce qui peut être dit comme la séduction court sous l'obscénité de la parole — il est l'inverse de la communication, et pourtant il se partage. C'est du seul prix de n'être pas dit qu'il tient son pouvoir, comme c'est du fait de n'être jamais dite, jamais voulue que la séduction opère.

Le caché ou le refoulé ont vocation à se manifester, alors que le secret ne l'a pas du tout. C'est une forme initiatique, implosive : on y entre, mais on ne saurait en sortir. Jamais de révélation, jamais de communication, jamais même de « secrétion » du secret (Zempleny, *Nouvelle Revue de Psychanalyse*, n° 14) : c'est de là qu'il tient sa force, puissance de l'échange allusif et rituel.

Ainsi, dans le *Journal du Séducteur*, la séduction a la forme d'une énigme à résoudre — la jeune fille est une énigme, et, pour la séduire, il faut en devenir une autre pour elle : c'est un *duel énigmatique*, et la séduction en est la résolution *sans que le secret en soit levé*. Le secret levé, la révélation en serait la sexualité. Le fin mot de cette histoire, si elle en avait un, serait le sexe — mais justement elle n'en a pas. Là où le sens devrait advenir, là où le sexe devrait advenir, là où les mots le désignent, là où les autres le pensent, il n'y a rien. Et ce rien du secret, cet insignifié de la séduction circule, il court sous les mots, il court sous le sens, et plus vite que le sens : c'est lui qui vous touche d'abord, avant que les phrases vous parviennent, le temps qu'elles s'évanouissent. Séduction sous le discours, invisible, de signe en signe, circulation secrète.

Exactement le contraire d'une relation psychologique : être dans le secret de l'autre, ce n'est pas partager ses phantasmes ou ses désirs, ce n'est pas partager un non-dit qui pourrait l'être : quand « ça » parle, ce n'est justement pas séduisant. Ce qui est de l'ordre de l'énergie expressive, du refoulement, de l'inconscient, de ce qui veut parler et où le moi doit advenir, tout cela est d'ordre *exotérique* et contredit à la forme *ésotérique* du secret et de la séduction.

Pourtant l'inconscient, l' « aventure » de l'inconscient peut apparaître comme la dernière tentative de grande envergure de refaire du secret dans une société sans secret. L'inconscient serait notre secret, notre mystère dans une société d'aveu et de transparence. Mais ce n'en est pas vraiment un, car ce secret n'est que psychologique, et il n'a pas d'existence propre, puisque l'inconscient naît en même temps que la psychanalyse, c'est-à-dire que les procédures pour le résorber et les techniques de désaveu du secret dans ses formes profondes.

Mais peut-être quelque chose se venge-t-il de toutes les interprétations et vient subtilement en troubler le déroulement ? Quelque chose qui ne veut décidément pas être dit et qui, étant énigme, possède énigmatiquement sa propre résolution, et donc n'aspire qu'à rester dans le secret et dans la *joie* du secret.

En dépit de tous les efforts pour le mettre à nu, pour le trahir, pour le faire signifier, le langage retourne à sa séduction secrète, nous retournons toujours à nos propres plaisirs insolubles.

Il n'y a pas de temps de la séduction, ni de temps *pour* la séduction, mais elle a son rythme, sans lequel elle n'a pas lieu. Elle ne se distribue pas comme le fait une stratégie instrumentale, qui chemine par des phases intermédiaires. Elle opère en un instant, d'un seul mouvement, et elle est toujours à elle-même sa propre fin.

Pas d'arrêt au cycle de la séduction. On peut séduire celle-ci pour séduire l'autre. Mais aussi séduire l'autre pour se plaire. Le leurre est subtil qui mène de l'un à l'autre. Est-ce de séduire, ou d'être séduit, qui est séduisant ? Mais être séduit est bien encore la meilleure façon de séduire. C'est une strophe sans fin. Pas plus qu'il n'y a d'actif ou de passif dans la séduction, il n'y a de sujet ou d'objet, ni d'intérieur ou d'extérieur : elle joue sur les deux versants, et nulle limite ne les sépare. Nul, s'il n'est séduit, ne séduira les autres.

Parce que la séduction ne s'arrête jamais à la vérité des signes, mais au leurre et au secret, elle inaugure un mode de circulation lui-même secret et rituel, une sorte d'initiation immédiate qui n'obéit qu'à sa propre règle du jeu.

Etre séduit, c'est être détourné de sa vérité. Séduire, c'est détourner l'autre de sa vérité. Cette vérité forme désormais un secret qui lui échappe (Vincent Descombes).

La séduction est immédiatement réversible, et sa réversibilité est faite du défi qu'elle implique et du secret où elle s'abîme.

Puissance d'attraction et de distraction, puissance d'absorption et de fascination, puissance d'effondrement non seulement du sexe, mais du réel dans son ensemble, puissance de défi — jamais une économie de sexe et de parole, mais une surenchère de grâce et de violence, une passion instantanée à laquelle le sexe peut advenir, mais qui peut aussi bien s'épuiser en elle-même, dans ce processus de défi et de mort, dans l'indéfinition radicale par où elle se différencie de la pulsion, qui est indéfinie quant à son objet, mais définie comme force et comme origine, alors que la passion de séduction est sans substance et sans origine : ce n'est pas de quelque investissement libidinal, de quelque énergie de désir, mais de la pure forme du jeu et de la surenchère purement formelle qu'elle prend son intensité.

Tel est aussi le défi. Lui aussi forme duelle qui s'épuise en un instant, et dont l'intensité vient de cette réversion immédiate. Lui aussi est ensorcelant, comme un discours dénué de sens, et auquel *pour cette raison absurde*, on ne peut pas ne pas répondre. Qu'est-ce qui fait qu'on répond à un défi ? Même interrogation mystérieuse que : qu'est-ce qui séduit ?

Qu'y a-t-il de plus séduisant que le défi ? Défi ou séduction, c'est toujours rendre l'autre fou, mais d'un vertige respectif, fous de l'absence vertigineuse qui les réunit, et d'un engloutissement respectif. Telle est l'inéluctabilité du défi, et pour quoi on ne peut pas ne pas y répondre : c'est qu'il inaugure une sorte de relation folle, bien différente de celle de la communication et de l'échange : relation duelle passant par des signes insensés, mais liés par une règle fondamentale et par son observance secrète. Le défi met fin à tout contrat, à tout échange réglé par la loi (loi de nature ou loi de la valeur) et il susbtitue un *pacte* hautement conventionnel, hautement ritualisé, l'obligation incessante de répondre et de surenchérir, dominée par une règle du jeu fondamentale, et scandée selon un rythme à elle. Contrairement à la loi qui est toujours inscrite, dans les tables, dans le cœur ou dans le ciel, cette règle fondamentale n'a jamais besoin de s'énoncer, *elle ne doit jamais s'énoncer*. Elle est immédiate, immanente, inéluctable (la loi est transcendante et explicite).

Il ne saurait y avoir contrat de séduction, contrat de défi. Pour qu'il y ait défi ou séduction, il faut que toute relation contractuelle s'évanouisse devant une relation duelle, faite de signes secrets, retirés de l'échange et prenant toute leur intensité dans leur partage formel, dans leur réverbération immédiate. Tel est l'enchantement de la séduction aussi, qui met fin à toute économie de désir, à tout contrat sexuel ou psychologique et y substitue un vertige de réponse — jamais un investissement : un enjeu — jamais un contrat : un pacte — jamais individuel : duel — jamais psychologique : rituel — jamais naturel : artificiel. La stratégie de personne : un destin.

Défi et séduction sont infiniment proches. Pourtant n'y aurait-il pas une différence, qui serait que le défi consiste à amener l'autre sur le terrain de votre force, qui sera aussi la sienne, en vue d'une surenchère illimitée, alors que la stratégie (?) de la séduction consiste à amener l'autre sur le terrain de votre défaillance, qui sera aussi la sienne. Défaillance calculée, défaillance incalculable : défi à l'autre de venir s'y prendre. Faille ou défaillance : le parfum de la panthère n'est-il pas lui-même une faille, un gouffre dont les animaux s'approchent par vertige? En fait, la panthère au parfum mythique n'est que l'épicentre de la mort, et c'est de cette faille que viennent les effluves subtils.

Séduire, c'est fragiliser. Séduire, c'est défaillir. C'est par notre fragilité que nous séduisons, jamais par des pouvoirs ou des signes forts. C'est cette fragilité que nous mettons en jeu dans la séduction, et c'est ce qui lui donne cette puissance.

Nous séduisons par notre mort, par notre vulnérabilité, par le vide qui nous hante. Le secret est de savoir jouer de cette mort au défaut du regard, au défaut du geste, au défaut du savoir, au défaut du sens.

La psychanalyse dit : assumer sa passivité, assumer sa fragilité, mais elle en fait une forme de résignation, d'acceptation, en des termes presque encore religieux, vers un équilibre psychique bien tempéré. La séduction, elle, joue triomphalement de cette fragilité, elle en fait un jeu, avec ses règles à elle.

Tout est séduction, tout n'est que séduction.

On a voulu nous faire croire que tout était production. Leitmotiv de la transformation du monde : c'est le jeu des forces productives qui règle le cours des choses. La séduction n'est qu'un processus immoral, frivole, superficiel, superflu, de l'ordre des signes et des apparences, voué aux plaisirs et à l'usufruit des corps inutiles. Et si tout, contrairement aux apparences — en fait selon la règle secrète des apparences — si tout marchait à la séduction?

le moment de la séduction
le suspens de la séduction
l'aléa de la séduction
l'accident de la séduction
le délire de la séduction
le repos de la séduction

La production ne fait qu'accumuler et ne s'écarte pas de sa fin. Elle remplace tous les leurres par un seul : le sien, devenu principe de réalité. La production, comme la révolution, met fin à l'épidémie des apparences. Mais la séduction est inéluctable. Personne de vivant n'y échappe — pas même les morts dans l'opération de leur nom et de leur souvenir. Ils ne sont morts que lorsque nul écho ne leur vient du monde pour les séduire, lorsque nul rite ne les défie plus d'exister.

Seul est mort pour nous celui qui ne peut plus du tout produire. En réalité seul est mort celui qui ne veut plus du tout séduire, ni être séduit.

Mais la séduction s'empare de lui malgré tout, comme elle s'empare de toute production et finit par l'anéantir.

Car le vide, l'absence creusée en n'importe quel point par le retour de flamme de n'importe quel signe, l'insensé qui fait le charme soudain de la séduction, ce vide est aussi ce qui attend, mais désenchanté, la production au terme de son effort. Tout retourne au vide, y compris nos paroles et nos gestes, mais certains, avant de disparaître, ont eu le temps, en anticipant sur leur fin, d'exercer une séduction que les autres ne connaîtront jamais. Le secret de la séduction est dans cette évocation et révocation de l'autre, par des gestes dont la lenteur, dont le suspense est poétique comme l'est le film d'une chute ou d'une explosion au ralenti, parce que quelque chose alors, avant de s'accomplir, a le temps de vous manquer, ce qui constitue, s'il en est une, la perfection du « désir ».

L'EFFIGIE DE LA SÉDUCTRICE

Effet prismatique de la séduction. Autre espace de réfraction. Elle consiste non dans l'apparence simple, non dans l'absence pure, mais dans l'éclipse d'une présence. Sa seule stratégie, c'est : être-là / n'être-pas-là, et assurer ainsi une sorte de clignotement, de dispositif hypnotique qui cristallise l'attention hors de tout effet de sens. L'absence y séduit la présence.

Puissance souveraine de la séductrice : elle « éclipse » n'importe quel contexte, n'importe quelle volonté. Elle ne peut laisser s'instaurer d'autres relations, même les plus proches, affectives, amoureuses, sexuelles — surtout pas celles-là — sans les briser, sans les reverser à une fascination étrangère. Elle élude sans trêve toutes relations où se poserait à coup sûr à un moment donné la question de la *vérité*. Elle les défait sans effort. Elle ne les nie pas, elle ne les détruit pas :

elle les fait scintiller. Tout son secret est là : dans le clignotement d'une présence. N'être jamais là où on la croit, jamais là où on la désire. Elle est bien, dirait Virilio, une « esthétique de la disparition ».

Elle fait fonctionner le désir lui-même comme leurre. Pour elle, il n'y a pas de vérité du désir ou du corps, pas plus que de quelque autre chose. L'amour même et l'acte sexuel peuvent redevenir traits de séduction, pour peu qu'ils soient repris dans la forme écliptique de l'apparaître/disparaître, c'est-à-dire dans la discontinuité du trait qui coupe court à tout affect, à tout plaisir, à toute relation, pour réaffirmer l'exigence supérieure de la séduction, l'esthétique transcendante de la séduction en regard de l'éthique immanente du plaisir et du désir. L'amour même et l'acte de chair sont une parure séductrice, la plus raffinée, la plus subtile de celles qu'invente la femme pour séduire l'homme. Mais la pudeur et le refus peuvent jouer le même rôle. Tout est parure dans ce sens, c'est-à-dire génie des apparences.

« Ce que je veux, ce n'est pas t'aimer, te chérir, ni même te plaire : c'est te *séduire* — et ce n'est pas que tu m'aimes ou me plaises : c'est que tu sois *séduit.* » Il y a une sorte de cruauté mentale dans le jeu de la séductrice, envers elle-même aussi bien. Toute psychologie affective est faiblesse en regard de cette exigence rituelle. Pas de quartier dans ce défi, où le désir et l'amour se volatilisent. Pas de répit non plus : cette fascination ne peut s'arrêter sous peine de n'être plus rien. La vraie séductrice ne peut être qu'en état de séduction : hors de là, elle n'est plus femme, ni objet, ni sujet de désir, elle est sans visage, sans attrait — c'est que sa seule passion est là. La séduction est souveraine, c'est le seul rituel qui éclipse tous les autres, mais cette souveraineté est cruelle, et cruellement payée.

Ainsi dans la séduction, la femme est sans corps propre, et sans désir propre. Mais qu'est-ce que le corps, et qu'est-ce que le désir ? Elle n'y croit pas, et elle en joue. N'ayant pas de corps propre, elle se fait apparence pure, construction artificielle où vient se prendre le désir de l'autre. Toute la séduction consiste à laisser croire à l'autre qu'il est et reste le sujet du désir, sans se prendre elle-même à ce piège. Elle peut aussi consister à se faire objet sexuel « séduisant » si le « désir » de l'homme est celui-là : la séduction passe aussi bien à travers la « séduisance » — le charme de la séduction passe à travers l'attrait du sexe. Mais justement, il passe à travers, et le transcende. « Je n'ai que des attraits, et vous avez des charmes » — « La vie a ses attraits, mais la mort a ses charmes. »

Pour la séduction, le désir n'est pas une fin, c'est un enjeu hypothétique. Plus précisément, l'enjeu est de provocation et de déception du désir, dont il n'est d'autre vérité que celle de scintiller et d'être déçu, — le désir lui-même s'abusant de sa puissance, qui ne lui est donnée que pour lui être retirée. Il ne saura même pas ce qui lui arrive. Car celle ou celui qui séduit peut aimer ou désirer réellement, il reste que plus profondément (ou superficiellement si on veut, dans l'abîme superficiel qui est celui des apparences) un autre jeu se joue, dont nul des deux ne connaît, et dont les protagonistes du désir ne sont que les figurants.

Pour la séduction, le désir est un mythe. Si le désir est volonté de puissance et de possession, la séduction dresse devant lui une volonté de puissance égale par le simulacre, et c'est par le réseau des apparences qu'elle suscite cette puissance hypothétique du désir et qu'elle l'exorcise. De même que pour le séducteur de Kierkegaard la grâce naïve de la jeune fille, sa puissance érotique spontanée n'est qu'un mythe et n'a d'autre réalité que d'être suscitée pour être anéantie (il l'aime peut-être et la désire, mais ailleurs, dans l'espace suprasensuel de la séduction, la jeune fille n'est que la figure mythique d'un sacrifice), ainsi la puissance du désir de l'homme est un mythe sur lequel travaille la séductrice, pour l'évoquer et l'abolir. Et l'artifice du séducteur, qui vise la grâce mythique de la jeune fille, est tout à fait égal à la construction artificielle de son corps par la séductrice qui, elle, vise le désir mythique de l'homme — dans l'un et l'autre cas il s'agit de réduire à néant cette puissance mythique, que ce soit celle de la grâce ou celle du désir. La séduction vise toujours la réversibilité et l'exorcisme d'une puissance. Si la séduction est artificielle, elle est aussi sacrificielle. La mort y est en jeu, toujours il s'agit de capter ou d'immoler le désir de l'autre.

La séduction, elle, en revanche, est immortelle. La séductrice *se veut* immortelle, comme l'hystérique, éternellement jeune, et sans lendemain, à la stupeur de tous, étant donné le champ de désespoir et de déception où elle évolue, étant donné la cruauté de son jeu. Mais justement elle y survit parce qu'elle est hors psychologie, hors sens, hors désir. Ce qui tue les gens et les fatigue, c'est le sens qu'ils donnent à leurs actes — or la séductrice n'accorde pas de sens à ce qu'elle fait, elle ne supporte pas le poids du désir. Si même elle cherche à se donner des raisons, des motivations, coupables ou cyniques, c'est encore un piège — et son dernier piège est de solliciter l'interprétation en disant « Dis-moi qui je suis », alors qu'elle n'est rien, et indifférente à ce qu'elle est, immanente, immémoriale et sans histoire, et que sa puissance est justement d'être là, ironique et insaisissable, aveugle quant à son être, mais connaissant parfaitement tous les dispositifs de raison et de vérité dont les autres ont besoin pour se protéger de la séduction et à l'abri desquels, si on les ménage, ils n'auront de cesse de se laisser séduire.

« Je suis immortelle », c'est-à-dire sans répit. C'est aussi que le jeu ne doit jamais s'arrêter, c'est même la règle fondamentale. Car de même que nul joueur ne saurait être plus grand que le jeu lui-même, ainsi nulle séductrice ne saurait être plus grande que la séduction. Nulle péripétie d'amour ou de désir ne doit l'enfreindre. Il faut aimer pour séduire, et non l'inverse. La séduction est une parure, elle fait et défait les apparences, comme Pénélope fait et défait sa toile et le désir lui-même se fait et se défait sous sa main. Car c'est l'apparence qui commande, et la maîtrise des apparences.

De cette forme fondamentale, de la puissance qui s'attache à la séduction et à ses règles, nulle n'a jamais été dépossédée. De leur corps, oui, de leur plaisir, de leur désir et de leurs droits, les femmes furent dépossédées. Mais de cette possibilité d'éclipse, de disparition et de transparition séductrice, et d'éclipser par là le pouvoir de leurs « maîtres », elles furent toujours maîtresses.

Mais d'ailleurs, y a-t-il une figure féminine, y a-t-il une figure masculine de la séduction ? Ou bien une seule et même forme, dont telle ou telle variante se serait cristallisée sur l'un ou l'autre sexe ?

La séduction oscille entre deux pôles : celui de la stratégie, celui de l'animalité — du calcul le plus subtil à la suggestion physique la plus brutale — dont les figures seraient pour nous celles du séducteur et de la séductrice. Mais cette partition ne recouvre-t-elle pas une configuration unique, celle d'une séduction sans partage ?

La séduction animale.

C'est chez les animaux que la séduction prend la forme la plus pure, dans le sens que la parade séductrice semble chez eux comme gravée dans l'instinct, comme immédiatisée dans des comportements réflexes et des parures naturelles. Mais elle ne cesse pas pour autant d'être parfaitement rituelle. Ce qui caractérise en effet l'animal comme l'être le moins naturel du monde, c'est que c'est chez lui que l'artifice, que l'effet de mascarade et de parure est le plus naïf. C'est au cœur de ce paradoxe, là où s'abolit la distinction de la nature et de la culture dans le concept de *parure*, que joue l'analogie entre féminité et animalité.

Si l'animal est séduisant, n'est-ce pas qu'il est un stratagème vivant, une stratégie vivante de dérision de notre prétention à l'humain ? Si le féminin est séduisant, n'est-ce pas qu'il déjoue lui aussi toute prétention à la profondeur ? La puissance de séduction du frivole rejoint la puissance de séduction du bestial.

Ce qui nous séduit dans l'animal n'est pas sa sauvagerie « naturelle ». D'ailleurs l'animalité se caractérise-t-elle vraiment par la sauvagerie, par un haut degré de contingence, d'imprévisibilité, de pulsions irréfléchies, ou au contraire par un haut degré de ritualisation des comportements ? La question s'est posée aussi pour les sociétés primitives, qu'on voyait proches du règne animal, et qui le sont en effet dans ce sens : leur commune méconnaissance de la loi liée à un très haut degré d'observance de formes réglées, que ce soit dans leur rapport aux autres animaux, aux hommes ou à leur territoire.

Jusque dans l'ornementation de leur corps et de leurs danses, la grâce des animaux résulte de tout un réseau d'observances, de règles et d'analogies qui en font le contraire d'un hasard naturel. Tous les attributs de prestige liés aux animaux sont des traits rituels. Leurs parures « naturelles » rejoignent les parures artificielles des humains, qui ont d'ailleurs toujours tenté de se les approprier dans les rites. Si les masques sont d'abord et de préférence animaux, c'est que l'animal est d'emblée un masque rituel, d'emblée jeu de signes et stratégie de la parure, comme il en est des rituels humains. Leur morphologie même, leurs pelages et leurs plumages, comme leurs gestuels et leurs danses sont le prototype de l'efficacité rituelle, c'est-à-dire un système qui n'est jamais fonctionnel (reproduction, sexualité, écologie, mimétisme : extraordinaire pauvreté de cette éthologie revue et corrigée par le fonctionnalisme), mais d'emblée un cérémonial de prestige et de maîtrise de signes, un cycle de séduction au sens où les signes gravitent irrésistiblement les uns autour des autres, se reproduisent comme par récurrence magnétique, entraînent avec eux la perte du sens et le vertige, et scellent entre les participants un *pacte* indéfectible.

La ritualité en général est une forme bien supérieure à la socialité. Celle-ci n'est qu'une forme récente et peu séduisante d'organisation et d'échange qu'ont inventé les humains entre eux. La ritualité est un système beaucoup plus vaste, englobant les vivants et les morts, et les animaux, n'excluant même pas la « nature » dont les processus périodiques, les récurrences, et les catastrophes, font comme spontanément office de signes rituels. La socialité en regard apparaît bien pauvre, elle n'arrive à solidariser, sous le signe de la Loi, qu'une seule espèce (et encore). La ritualité réussit, elle, non selon la loi, mais selon la règle, et ses jeux d'analogies infinis, à maintenir une forme d'organisation cyclique et d'échange universel dont la Loi et le social sont bien incapables.

Si les animaux nous plaisent et nous séduisent, c'est qu'ils sont pour nous l'écho de cette organisation rituelle. Ce n'est pas la nostalgie de la sauvagerie qu'ils évoquent en nous, mais la nostalgie féline et théâtrale de la parure, celle d'une stratégie et d'une séduction des formes rituelles qui dépassent toute socialité et qui nous enchantent encore.

C'est dans ce sens qu'on peut parler d'un « devenir animal » de la séduction, et qu'on peut dire de la séduction féminine qu'elle est animale, sans la reverser ainsi à une sorte de nature instinctive. Car c'est dire qu'elle renvoie profondément à un rituel du corps dont l'exigence, comme de tout rituel, n'est pas de fonder une nature et de lui trouver une loi, mais de régler les apparences et d'en organiser le cycle. Ce n'est donc pas dire qu'elle est éthiquement inférieure, c'est dire qu'elle est esthétiquement supérieure. Elle est une stratégie de la parure.

Ce n'est jamais non plus la beauté naturelle qui séduit chez l'homme, mais la beauté rituelle. Parce que celle-ci est ésotérique et initiatique, tandis que l'autre n'est qu'expressive. Parce que la séduction est dans le secret que font régner les signes allégés de l'artifice, jamais dans une économie naturelle de sens, de beauté ou de désir.

Le déni de l'anatomie et du corps comme destin ne date pas d'hier. Il fut bien plus virulent dans toutes les sociétés antérieures à la nôtre. Ritualiser, cérémonialiser, affubler, masquer, mutiler, dessiner, torturer — pour séduire : séduire les dieux, séduire les esprits, séduire les morts. Le corps est le premier grand support de cette gigantesque entreprise de séduction. Ce n'est que pour nous qu'elle prend une allure esthétique et décorative (et qu'elle est du même coup niée en profondeur : la dénégation morale de toute magique du corps prend effet avec l'idée même de décoration. Pour les sauvages pas plus que pour les animaux, ce n'est une décoration : c'est une parure. Et c'est la règle universelle. Celui qui n'est pas peint est stupide, disent les Caduvéo).

Les formes peuvent en être pour nous repoussantes : celle, élémentaire, de se couvrir le corps de boue, celle de déformer la boîte crânienne ou de limer les dents au Mexique, celle de déformer les pieds en Chine, celle de distendre le cou, d'inciser le visage, sans parler des tatouages, des parures vestimentaires, des peintures rituelles, des bijoux, des masques, jusqu'aux bracelets en boîtes de conserve des Polynésiens contemporains.

Forcer le corps à signifier, mais de signes qui n'ont pas de sens à proprement parler. Toute ressemblance est évanouie. Toute représentation est absente. Couvrir le corps d'apparences, de leurres, de pièges, de parodies animales, de simulations sacrificielles, non pas pour dissimuler — non pas pour révéler non plus quoi que ce soit (désir, pulsion), non pas même pour jouer simplement ou pour le plaisir (expressivité spontanée de l'enfance et des primitifs) — mais par une entreprise qu'Artaud appellerait métaphysique : défi sacrificiel au monde d'exister. Car rien n'existe par nature, *tout n'existe que par le défi qui lui est lancé et à quoi il est sommé de répondre.* C'est par le défi qu'on suscite et ressuscite les puissances du monde, y compris les dieux, c'est par le défi qu'on les exorcise, qu'on les séduit, qu'on les capte, qu'on ressuscite le jeu et la règle du jeu. Pour cela il faut une surenchère artificielle, c'est-à-dire une simulation systématique qui ne tienne compte ni d'un état préétabli du monde ni d'une physique ou d'une anatomie des corps. Métaphysique radicale de la simulation. Il ne sera même pas tenu compte de l'harmonie « naturelle » — dans les peintures faciales caduvéo, les traits du visage ne sont pas respectés : le dessin impose son schéma et ses symétries artificielles d'un bout à l'autre (notre maquillage à nous se plie au référentiel du corps, pour en souligner les traits et les orifices : est-il plus proche de la nature ou du désir pour autant ? Rien n'est moins sûr).

Quelque chose de cette métaphysique radicale des apparences, de ce défi par simulation est encore vivant dans l'art cosmétique de tous les temps et dans l'apparat moderne du maquillage et de la mode. Les Pères de l'Eglise l'ont bien perçu, qui l'ont fustigé comme diabolique : « S'occuper de son corps, le soigner, le farder, c'est s'ériger en rivale de Dieu et contester le créé. » Cette stigmatisation n'a jamais cessé depuis, mais elle s'est réfléchie dans cette autre religion qu'est la liberté du sujet et l'essence de son désir. C'est ainsi que toute notre morale réprouve la constitution de la femme en objet sexuel par l'artifice du visage et du corps. Ce n'est plus le jugement de Dieu, c'est le décret de l'idéologie moderne qui dénonce la prostitution de la femme dans la féminité consommatrice, asservie dans son corps à la reproduction du capital. « La Féminité est l'être aliéné de la femme. » « La Féminité apparaît comme une totalité abstraite, vide de toute réalité qui lui appartienne en propre, totalité de l'ordre du discours et de la rhétorique publicitaire. » « La femme éperdue de masques de beauté et de lèvres immuablement fraîches n'est plus productrice de sa vie réelle », etc., etc.

Contre tous ces pieux discours, il faut refaire un éloge de l'objet sexuel en ce que celui-ci retrouve, dans la sophistication des apparences, quelque chose du défi à l'ordre naïf du monde et du sexe, en ce que lui, et lui seul, échappe à cet ordre de la production auquel on veut croire qu'il est asservi, pour rentrer dans celui de la séduction. C'est dans son irréalité, dans son défi irréel de prostitution par les signes que l'objet sexuel passe au-delà du sexe et atteint à la séduction. Il redevient un cérémonial. Le féminin fut de tout temps l'effigie de ce rituel, et il y a une redoutable confusion à vouloir le désacraliser comme *objet* de culte pour en faire un *sujet* de production, à vouloir l'extraire de l'artifice pour le rendre au naturel de son propre désir.

> « La femme est bien dans son droit, et même elle accomplit une espèce de devoir en s'appliquant à paraître magique et surnaturelle ; il faut qu'elle étonne, qu'elle charme ; idole, elle doit se dorer pour être adorée. Elle doit donc emprunter à tous les arts les moyens de s'élever au-dessus de la nature pour mieux subjuguer les cœurs et frapper les esprits. Il importe fort peu que la ruse et l'artifice soient connus de tous, si le succès en est certain et l'effet toujours irrésistible. C'est dans ces considérations que l'artiste philosophe trouvera facilement la légitimation de toutes les pratiques employées dans tous les temps par les femmes pour consolider et diviniser, pour ainsi dire, leur fragile beauté. L'énumération en serait innombrable ; mais, pour nous restreindre à ce que notre temps appelle vulgairement *maquillage*, qui ne voit que l'usage de la poudre de riz, si niaisement anathématisé par les philosophes candides, a pour but et pour résultat de faire disparaître du teint les taches que la nature y a outrageusement semées, et de créer une unité abstraite dans le grain et la couleur de la peau, laquelle unité, comme celle produite par le maillot, rapproche immédiatement l'être humain de la statue, c'est-à-dire d'un être divin et supérieur ?

Quant au noir artificiel qui cerne l'œil et au rouge qui marque la partie supérieure de la joue, bien que l'usage en soit tiré du même principe, du besoin de surpasser la nature, le résultat est fait pour satisfaire à un besoin tout opposé. Le rouge et le noir représentent la vie, une vie surnaturelle et excessive ; ce cadre noir rend le regard plus profond et plus singulier, donne à l'œil une apparence plus décidée de fenêtre ouverte sur l'infini ; le rouge, qui enflamme la pommette, augmente encore la clarté de la prunelle et ajoute à un beau visage féminin la passion mystérieuse de la prêtresse. »

(Baudelaire, *Eloge du Maquillage.*)

S'il y a du désir — c'est l'hypothèse de la modernité — alors rien ne doit en briser l'harmonie naturelle, et le maquillage est une hypocrisie. Si le désir est un mythe — c'est l'hypothèse de la séduction, — alors rien n'interdit qu'il soit joué de tous les signes sans limites de naturalité. La puissance des signes est alors dans leur apparition et leur disparition, c'est ainsi qu'ils effacent le monde. Le maquillage lui aussi est une façon d'annuler le visage, d'annuler les yeux par des yeux plus beaux, d'effacer les lèvres par des lèvres plus éclatantes. Cette « unité abstraite qui rapproche l'être humain de l'être divin », cette vie « surnaturelle et excessive », dont parle Baudelaire, c'est l'effet de ce simple trait artificiel qui annule toute expression. L'artifice n'aliène pas le sujet dans son être, il l'altère mystérieusement. Il opère cette transfiguration que connaissent les femmes devant leur miroir, où elles ne peuvent se maquiller que si elles s'anéantissent, où, en se maquillant, elles obtiennent l'apparence pure d'un être dénué de sens. Par quelle aberration peut-on confondre cette opération « excessive » avec un vulgaire camouflage de la vérité ? Seul le faux peut aliéner le vrai, mais le maquillage n'est pas faux, il est plus faux que le faux (comme le jeu des travestis) et par là il trouve une sorte d'innocence, de transparence supérieures — absorption par sa propre surface, résorption de toute expression sans une trace de sang, sans une trace de sens — cruauté certes, et défi — mais qui est aliéné ? Seuls le sont ceux qui ne peuvent supporter cette perfection cruelle, et ne peuvent s'en défendre que par une répulsion morale. Mais tous sont confondus. Mobile ou hiératique, comment répondre à l'apparence pure, sinon reconnaître sa souveraineté ? Démaquiller, arracher ce voile, sommer les apparences de disparaître ? Absurde : c'est l'utopie des iconoclastes. Il n'y a pas de Dieu derrière les images, et le néant même qu'elles recouvrent doit rester secret. La séduction, la fascination, le rayonnement « esthétique » de tous les grands dispositifs imaginaires est là : dans l'effacement de toute instance, fût-ce celle du visage, dans l'effacement de toute substance, fût-ce celle du désir — dans la perfection du signe artificiel.

Le plus bel exemple en est sans doute dans la seule grande constellation collective de séduction qu'ait produite les temps modernes : celle des stars et des idoles de cinéma. Or, la star est féminine, qu'elle soit homme ou femme, car, si Dieu est masculin, l'idole est toujours féminine. Là les femmes furent les plus grandes. Sur elles, non plus des êtres de désir ni de chair vive, mais des êtres transsexuels, suprasensuels, a pu cristalliser cette débauche de futilité et ce rituel sévère qui en fit une génération de monstres sacrés, douée d'une puissance d'absorption rivale et égale des puissances de production du monde réel. Notre seul mythe dans une époque incapable d'engendrer de grands mythes ou de grandes figures de séduction comparables à celles de la mythologie ou de l'art.

Le cinéma n'est puissant que par son mythe. Ses récits, son réalisme ou son imaginaire, sa psychologie, ses effets de sens, tout ça est secondaire. Seul le mythe est puissant, et, au cœur du mythe cinématographique, il y a la séduction — celle d'une grande figure séductrice, de femme ou d'homme (de femme surtout), liée à la puissance captieuse et ravissante de l'image cinématographique elle-même. Conjonction miraculeuse.

La star n'a rien d'un être idéal ou sublime : elle est artificielle. Elle n'a que faire d'être une actrice au sens psychologique du terme : son visage n'est pas le reflet de son âme ni de sa sensibilité : elle n'en a pas. Elle est là au contraire pour déjouer toute sensibilité, toute expression dans la seule fascination rituelle du vide, dans son regard extatique et la nullité de son sourire. C'est là qu'elle atteint au mythe, et au rite collectif d'adulation sacrificielle.

L'assomption des idoles cinématographiques, des divinités de masse, fut et reste notre grand événement moderne — il contrebalance encore aujourd'hui tous les événements politiques ou sociaux. Rien ne sert de le renvoyer à un imaginaire des masses mystifiées. C'est un événement de séduction qui contrebalance tout l'événement de la production.

Certes la séduction à l'ère des masses n'est plus celle de *La Princesse de Clèves*, ni des *Liaisons dangereuses* ou du *Journal du Séducteur*, ni même celle des figures de la mythologie antique, qui furent sans doute, de tous les récits connus, les plus riches de séduction — mais de séduction *chaude*, alors que celle de nos idoles modernes est une séduction *froide*, étant à l'intersection du medium froid des masses et du medium froid de l'image.

Cette séduction a la blancheur spectrale des étoiles, comme elles furent si bien nommées. Tour à tour les masses n'ont été « séduites », à l'ère moderne, que par deux grands événements : la lumière blanche des stars, et la lumière noire du terrorisme. Ces deux phénomènes ont bien des choses en commun. Comme les étoiles, les stars ou les actes terroristes « clignotent » : ils n'éclairent pas, ils ne rayonnent pas d'une lumière blanche et continue, mais froide et intermittente, ils déçoivent en même temps qu'ils exaltent, ils fascinent par la soudaineté de leur apparition et l'imminence de leur disparition. Ils s'éclipsent eux-mêmes, dans une perpétuelle surenchère.

Les grandes séductrices ou les grandes stars ne brillent jamais par leur talent ou par leur intelligence, elles brillent par leur absence. Elles brillent par leur nullité, et leur froideur, qui est celle du maquillage et du hiératisme rituel (le rituel est cool, selon MacLuhan). Elles métaphorisent l'immense processus glaciaire qui s'est emparé de notre univers de sens pris dans les réseaux clignotants de signes et d'images — mais en même temps, à un moment donné de cette histoire, et dans une conjoncture qui ne se reproduira plus, elles le transfigurent en effet de séduction.

Le cinéma n'a jamais resplendi que par cette séduction pure, par cette pure vibration du non-sens — vibration chaude d'autant plus belle qu'elle venait du froid.

Artifice et non-sens : tel est le visage ésotérique de l'idole, son masque initiatique. Séduction d'un visage expurgé de toute expression, sinon celle d'un sourire rituel et d'une beauté non moins conventionnelle. Visage blanc, de la blancheur des signes voués à leur apparence ritualisée, et non plus soumis à quelque loi profonde de signification. La stérilité des idoles est bien connue : elles ne se reproduisent pas, elles ressuscitent à chaque fois de leurs cendres, comme le phénix, ou de leur miroir, comme la femme séductrice.

Ces grandes effigies séductrices sont nos masques à nous, ce sont nos statues de l'île de Pâques. Mais ne nous y trompons pas : s'il y a eu historiquement les foules chaudes de l'adoration, de la passion religieuse, du sacrifice et de l'insurrection, il y a maintenant les masses froides de la séduction et de la fascination. Leur effigie est cinématographique, et elle est celle d'un autre sacrifice.

La mort des stars n'est que la sanction de leur idôlatrie rituelle. Il faut qu'elles meurent, il faut qu'elles soient déjà mortes. Il le faut pour être parfaite et superficielle — dans le maquillage aussi. Mais ceci ne doit pas nous incliner à une abréaction négative.

Car il y a là, derrière la seule immortalité qui soit, et qui est celle de l'artifice, l'idée, incarnée par les stars, que *la mort elle-même brille par son absence,* qu'elle peut se résoudre dans une apparence brillante et superficielle, qu'elle est une surface séduisante...

LA STRATÉGIE IRONIQUE DU SÉDUCTEUR

Si la caractéristique de la femme séductrice est de se faire apparence pour jeter le trouble dans les apparences, qu'en est-il de l'autre figure, celle du séducteur ?

Lui aussi se fait leurre pour jeter le trouble, mais curieusement ce leurre prend la forme du calcul, et la parure le cède ici à la stratégie. Mais si la parure chez la femme est évidemment stratégique, la stratégie du séducteur n'est-elle pas inversement une parade de calcul, par où il se défend de quelque puissance adverse ? Stratégie de la parure, parure de la stratégie...

Les discours trop sûrs d'eux — dont celui de la stratégie amoureuse — doivent être lus d'autre façon : en pleine stratégie « rationnelle », ils ne sont encore que les instruments d'un *destin* de séduction, dont ils sont autant les victimes que les metteurs en scène. Le séducteur ne finit-il pas par se perdre lui-même dans sa stratégie comme dans un labyrinthe passionnel ? Ne l'invente-t-il pas pour s'y perdre ? Et lui qui se croit maître du jeu, n'est-il pas la première victime du mythe tragique de la stratégie ?

L'obsession de la jeune fille chez le séducteur de Kierkegaard. L'obsession de ce stade inviolé, encore insexué, qui est celui de la grâce et du charme — parce que c'est un être de grâce il faut trouver grâce à ses yeux, comme Dieu elle détient un privilège inégalable — elle devient donc l'enjeu féroce d'un défi : elle doit être séduite, elle doit être détruite parce que c'est elle qui *par nature est douée de toute la séduction.*

Le séducteur a pour vocation d'exterminer cette puissance naturelle de la femme ou de la jeune fille par une entreprise délibérée qui égalera ou dépassera l'autre, qui contrebalancera par une puissance artificielle égale ou supérieure la puissance naturelle à laquelle, contre toutes les apparences qui font de lui le séducteur, il a succombé dès le départ. La *destination* du séducteur, sa volonté, sa stratégie, répondent pour l'exorciser à la *prédestination* gracieuse et séductrice de la jeune fille, d'autant plus puissante qu'elle est inconsciente.

Le dernier mot ne peut être laissé à la nature : tel est l'enjeu fondamental. Il faut que cette grâce exceptionnelle, innée, immorale comme une part maudite, soit sacrifiée et immolée par l'entreprise du séducteur, qui va l'amener par une tactique savante jusqu'à l'abandon érotique, où elle cessera d'être puissance de séduction, c'est-à-dire une puissance dangereuse.

Ainsi le séducteur n'est rien, toute l'origine de la séduction est dans la jeune fille. C'est pourquoi Johannes peut dire ne rien inventer et tout apprendre de Cordelia. Il n'y a là nulle hypocrisie. La séduction calculée est le miroir de la séduction naturelle, elle s'y alimente comme à sa source, mais c'est pour mieux l'exterminer.

C'est pourquoi aussi il n'est laissé aucune chance à la jeune fille, aucune initiative dans le jeu de la séduction, dont elle semble l'objet sans défense. C'est que toute sa partie à elle est déjà jouée *avant* que commence le jeu du séducteur. Tout a déjà eu lieu avant, et l'entreprise de séduction ne fait que ravaler un déficit naturel, ou relever un défi déjà là, celui que constitue la beauté et la grâce de nature de la jeune fille.

La séduction alors change de sens. D'entreprise immorale et libertine s'exerçant aux dépens d'une vertu, d'une duperie cynique à des fins sexuelles (qui est sans grand intérêt), elle devient mythique et prend la dimension d'un sacrifice. Ce pour quoi elle obtient si aisément l'assentiment de la « victime », qui obéit en quelque sorte par son abandon aux ordres d'une divinité qui veut que *toute puissance soit réversible et sacrifiée,* que ce soit celle du pouvoir ou celle, naturelle, de la séduction, parce que toute puissance, et celle de la beauté par-dessus toutes, est sacrilège. Cordelia est souveraine, et elle est sacrifiée à sa propre souveraineté. Forme meurtrière d'échange symbolique, telle est la réversibilité du sacrifice, elle n'épargne aucune forme, ni la vie elle-même, ni la beauté ou la séduction, qui en est la forme la plus dangereuse. Dans ce sens, le séducteur ne peut se flatter d'être le héros d'aucune stratégie érotique, il n'est que l'opérateur sacrificiel d'un processus qui le dépasse de loin. Et la victime, elle, ne peut se flatter d'être innocente, puisque, vierge, belle et séduisante, elle constitue un défi en soi, qui ne peut être égalé que par sa mort (ou par sa séduction, qui est égale à un meurtre).

Le *Journal d'un Séducteur* est le scénario d'un crime parfait. Rien dans le calcul du séducteur, aucune de ses manœuvres n'échoue. Tout s'y déroule avec une infaillibilité qui ne saurait être réelle ou psychologique, mais mythique. Cette perfection de l'artifice, cette sorte de prédestination qui guide les gestes du séducteur ne fait que refléter, comme en un miroir, la perfection de la grâce infuse de la jeune fille, et la nécessité inéluctable de son sacrifice. Il n'y a là la stratégie de personne : c'est un destin, dont Johannes n'est que l'exécutant instrumental, donc infaillible.

Il y a quelque chose d'impersonnel dans tout processus de séduction, comme dans tout crime, quelque chose de rituel, de suprasubjectif et de suprasensuel, dont l'expérience vécue, du séducteur comme de sa victime, n'est que le reflet inconscient. Dramaturgie sans sujet. Exercice rituel d'une forme où les sujets se consument. C'est pourquoi l'ensemble revêt à la fois la forme esthétique d'une œuvre et la forme rituelle d'un crime.

Cordélia séduite, livrée aux plaisirs érotiques d'une nuit, puis abandonnée — il ne faut pas s'en étonner, ni faire de Johannes, en bonne psychologie bourgeoise, un odieux personnage : la séduction, étant un processus sacrificiel, s'achève avec le meurtre (la défloration). Cet ultime épisode pourrait même ne pas avoir lieu : dès lors que Johannes est sûr de sa victoire, Cordélia est morte pour lui. C'est la séduction impure qui s'achève dans l'amour et les plaisirs, mais celle-ci n'est plus un sacrifice. La sexualité est à revoir dans ce sens, comme *résidu économique* du processus sacrificiel de la séduction, tout comme dans les sacrifices archaïques une part résiduelle non consumée alimente la circulation économique. Le sexe ne serait ainsi que le solde ou l'escompte d'un processus plus fondamental, crime ou sacrifice, qui n'a pas atteint à la réversibilité totale. Les dieux prennent leur part : les humains se partagent les restes.

C'est à l'accumulation de ce reste que se voue le séducteur impur, Don Juan ou Casanova, volant de conquête en conquête sexuelle, cherchant à séduire pour prendre son plaisir, sans atteindre à cette dimension « spirituelle » de la séduction selon Kierkegaard, qui consiste à pousser à leur comble les puissances et les ressources séductrices de la femme pour mieux les défier par une stratégie minutieuse de retournement.

Cordélia dépossédée de sa puissance par une lente conjuration fait songer aux innombrables rites d'exorcisme de la puissance féminine qui se retrouvent partout dans les pratiques primitives (Bettelheim). Conjurer la puissance féminine de fécondité, l'encercler, la circonscrire, éventuellement la simuler et se l'approprier, telle est l'entreprise de la couvade, de l'invagination artificielle, des excoriations et des cicatrices, de ces innombrables blessures symboliques, jusques et y compris celles de l'initiation et l'institution d'un pouvoir nouveau : le politique, qui efface le privilège inégalable du féminin dans la « nature ». Il n'est que de penser aussi à cette philosophie sexuelle chinoise où, par le suspens de la possession et de l'éjaculation, le masculin dérive sur lui la puissance du yang féminin.

De toute façon, quelque chose est donné à la femme, qu'il faut exorciser par une entreprise artificielle, au terme de laquelle elle est dépossédée de sa puissance. Et sous cet angle sacrificiel, il n'y a pas de différence entre la séduction féminine et la stratégie du séducteur : il s'agit toujours de la mort et du rapt mental de l'autre, de le ravir et de lui ravir sa puissance. C'est toujours l'histoire d'un meurtre, ou plutôt d'une immolation esthétique et sacrificielle car, comme dit Kierkegaard, ça se passe toujours au niveau de l'esprit.

Du plaisir « spirituel » de la séduction.

Le scénario de la séduction selon Kierkegaard est spirituel : il y faut encore et toujours de l'*esprit*, c'est-à-dire du calcul, du charme et le raffinement d'un langage conventionnel, au sens du XVIIIe siècle, mais aussi du Witz et du trait d'esprit au sens moderne.

Jamais la séduction ne se joue sur le désir ou la propension amoureuse — tout cela est vulgaire mécanique et physique charnelle : inintéressant. Il faut que tout se réponde par allusion subtile, et que *tous les signes soient pris au piège*. Ainsi les artifices du séducteur sont le reflet de l'essence séductrice de la jeune fille, et celle-ci est comme démultipliée dans une mise en scène ironique, un leurre exact de sa propre nature, auquel elle viendra se prendre sans effort.

Il ne s'agit donc pas d'une attaque frontale, mais d'une séduction diagonale qui passe comme un trait (quoi de plus séduisant que le trait d'esprit ?), qui en a la vivacité et l'économie, faisant usage elle aussi du même matériel redoublé, selon la formule de Freud : les armes du séducteur sont celles mêmes de la jeune fille qui retourne contre elle, et cette réversibilité de la stratégie en fait le charme spirituel.

On dit justement des miroirs qu'ils sont spirituels : c'est que le reflet en lui-même est un trait d'esprit. Le charme du miroir n'est pas de s'y reconnaître, ce qui est une coïncidence plutôt désespérante, mais bien dans le trait mystérieux et ironique du redoublement. Or la stratégie du séducteur n'est rien d'autre que celle du miroir, c'est pourquoi il ne trompe au fond personne — et c'est pourquoi aussi il ne se trompe jamais, car le miroir est infaillible (s'il usait de manœuvres et de pièges tramés de l'extérieur, il commettrait forcément quelque erreur).

Qu'on songe à un trait de ce genre, et digne de figurer dans les annales de la séduction : la même lettre écrite à deux femmes différentes. Et ceci sans la moindre perversité, dans la transparence de l'âme et du cœur. L'émoi amoureux propre à chacune est le même, il existe, il a sa qualité propre. Mais autre chose est le plaisir « spirituel », qui émane de l'effet de miroir entre les deux lettres, qui joue comme effet de miroir entre les deux femmes : celui-ci est proprement un plaisir de séduction. Transport plus vif, plus subtil, est tout à fait différent de l'émoi amoureux. L'émoi du désir n'est jamais égal à cette sorte de joie secrète et exubérante qu'il y a à jouer avec le désir même. Le désir n'est qu'un référent comme un autre, la séduction lui est immédiatement transcendante, et l'emporte par l'*esprit* justement. La séduction est un *trait*, elle court-circuite ici les deux figures destinataires dans une sorte de sur-impression imaginaire, où peut-être en effet le désir les confond, en tout cas ce trait provoque la confusion du désir, le renvoie à une indistinction et à un léger vertige, fait de l'émanation subtile d'une indifférence supérieure, d'un rire qui vient effacer son implication trop sérieuse encore.

Séduire, c'est ainsi faire jouer entre elles des figures, faire jouer entre eux des signes pris à leur propre piège. Jamais la séduction ne résulte d'une force d'attraction des corps, d'une conjonction d'affects, d'une économie de désir, il faut qu'un leurre intervienne et mêle les images, il faut qu'un *trait* réunisse soudainement, comme en rêve, des choses désunies, ou désunisse soudainement des choses indivises : ainsi la première lettre emporte-t-elle la tentation irrésistible de se réécrire pour l'autre femme, dans une sorte de fonctionnement ironique autonome, et dont l'*idée* même est séduisante. Jeu sans fin, auquel les signes se prêtent spontanément, par une ironie toujours disponible. Ils *veulent* être séduits peut-être, peut-être ont-ils, plus profondément que les hommes, désir de séduire et d'être séduits.

Les signes n'ont peut-être pas pour vocation d'entrer dans des oppositions réglées à des fins significatives : ça, c'est leur *destination* actuelle. Mais leur *destin* est peut-être bien différent : il est peut-être de se séduire les uns les autres, et de nous séduire par là même. C'est une toute autre logique qui réglerait ainsi leur circulation secrète.

Peut-on imaginer une théorie qui traiterait des signes dans leur attraction séductrice, et non dans leur contraste et leur opposition ? Qui briserait définitivement la spécularité du signe et l'hypothèque du référent ? Et où tout se jouerait entre les termes dans un duel énigmatique et une réversibilité inexorable ?

Supposons que toutes les grandes oppositions distinctives qui ordonnent notre relation au monde soient traversées par la séduction au lieu d'être fondées sur l'opposition et la distinction. Que non seulement le féminin séduise le masculin, mais que l'absence séduise la présence, que le froid séduise le chaud, que le sujet séduise l'objet, ou l'inverse bien sûr : car la séduction suppose ce minimum de réversibilité qui met fin à toute opposition réglée, et donc à toute sémiologie conventionnelle. Vers une sémiologie inverse ?

On peut imaginer (mais pourquoi imaginer ? c'est ainsi) que les dieux et les hommes, au lieu d'être séparés par l'abîme moral de la religion, entreprennent de se séduire et n'entretiennent plus que des rapports de séduction — c'est arrivé en Grèce. Mais peut-être aussi le bien et le mal, et le vrai et le faux, et toutes ces grandes distinctions qui nous servent à déchiffrer le monde et à le tenir sous le sens, tous ces termes soigneusement écartelés au prix d'une énergie folle — ça n'a pas toujours réussi, et les vraies catastrophes, les vraies révolutions consistent toujours en l'implosion d'un de ces systèmes à deux termes : un univers, ou un fragment d'univers prend fin alors — pourtant la plupart du temps cette implosion est lente et se fait par l'usure des termes. Ce à quoi nous assistons aujourd'hui : à l'érosion lente de toutes les structures polaires à la fois, vers un univers en passe de perdre le relief même du sens. Désinvesti, désenchanté, désaffecté : fini le monde comme volonté et représentation.

Mais cette neutralisation n'est pas séduisante. La séduction, elle, est ce qui précipite les termes l'un vers l'autre, ce qui les réunit dans leur maximum d'énergie et de charme, et non ce qui les confond dans leur minimum d'intensité.

Supposons que partout ainsi se mettent à jouer des rapports de séduction là où jouent aujourd'hui des rapports d'opposition. Imaginons cet éclair de la séduction faisant fondre les circuits transistorisés, polaires ou différentiels, du sens? Il y a bien des exemples de cette sémiologie non distinctive (c'est-à-dire qui n'en est plus une) : les éléments de la cosmogonie antique n'entraient pas du tout dans un rapport structural de classification, (eau/feu, air/terre, etc.), ce n'était pas des éléments distinctifs, mais attractifs et se séduisant l'un l'autre : l'eau séduisant le feu, l'eau séduite par le feu.

Cette sorte de séduction existe encore très fort dans les relations duelles, de hiérarchie, de caste, non individualisées, et dans les systèmes analogiques qui ont partout précédé nos systèmes logiques de différenciation. Et sans doute partout encore les enchaînements logiques du sens sont travaillés par les enchaînements analogiques de la séduction — comme un immense trait d'esprit réunissant d'un seul trait les termes opposés. Circulation secrète, sous le sens, des analogies séductrices.

Mais il ne s'agit pas d'une nouvelle version de

l'attraction universelle. Les diagonales, ou les transversales de la séduction peuvent bien briser les oppositions de termes, elles ne mènent pas à une relation fusionnelle ou confusionnelle (ça, c'est la mystique) mais à une relation duelle, non pas une fusion *mystique* du sujet ou de l'objet, ou du signifiant et du signifié, ou du masculin et du féminin, etc., mais une séduction, c'est-à-dire une relation *duelle et agonistique*.

> Un miroir est suspendu sur le mur opposé
> elle n'y pense pas
> mais le miroir y pense
>
> *Journal d'un Séducteur*, p. 29

La ruse du séducteur sera de se confondre avec le miroir du mur opposé, où la jeune fille viendra se réfléchir sans y penser, alors que le miroir la pense.

Il faut se méfier de l'humilité des miroirs. Humbles servants des apparences, ils ne peuvent que refléter les objets qui leur font face, sans pouvoir de se dérober, et tout le monde leur en sait gré (sauf dans la mort, où on les voile pour cette raison). Ce sont les chiens de l'apparence. Mais leur fidélité est captieuse, et ils ne font qu'attendre qu'on se prenne à leur reflet. On n'oublie pas si vite leur regard oblique : ils vous reconnaissent, et lorsque par surprise ils vous retrouvent là où vous ne vous y attendiez pas, votre tour est venu.

Telle est la stratégie du séducteur : il se donne l'humilité du miroir, mais d'un miroir manœuvrier, tel le bouclier de Persée, où Méduse vient se méduser elle-même. La jeune fille va tomber captive de ce miroir, qui la pense et l'analyse à son insu.

> « Celui qui ne sait pas circonvenir une jeune fille jusqu'à ce qu'elle perde tout de vue, celui qui ne sait pas, au fur et à mesure de sa volonté, faire croire à une jeune fille que c'est elle qui prend toutes les initiatives... je ne lui envierai pas sa jouissance. Un tel homme est et restera un maladroit, un séducteur, termes qu'on ne peut pas du tout m'appliquer. Je suis un esthéticien, un érotique qui a saisi la nature de l'amour, son essence, qui croit à l'amour et qui le connaît à fond... Je sais en outre que la suprême jouissance imaginable est d'être aimé par-dessus tout... S'introduire comme un rêve dans l'esprit d'une jeune fille est un art, en sortir est un chef-d'œuvre. » (p. 121)

La séduction n'est jamais linéaire, elle ne porte pas non plus de masque (celle-ci est la séduction vulgaire) — elle est *oblique*.

> « Quelle arme est aussi tranchante, aussi pénétrante, dans son mouvement aussi luisante et grâce à cela aussi décevante qu'un regard ? On marque une quarte haute, comme à l'escrime, et on se fend en seconde... cet instant est indescriptible. L'adversaire se rend presque compte du coup, il est touché, oui, mais touché à un tout autre endroit qu'il croyait. » (p. 35)
>
> « Je ne la rencontre pas, je ne fais que toucher

la périphérie de son existence... Lorsqu'elle arrive dans l'escalier, je la dépasse négligemment. Ce sont là les premières mailles à resserrer autour d'elle. Je ne l'arrête pas dans la rue, ou je la salue sans jamais m'approcher d'elle, mais je la vise toujours de loin... Elle sent qu'à son horizon est apparu un nouvel astre qui dans sa marche étrangement régulière exerce sur la sienne une influence troublante ; mais elle n'a pas la moindre idée de la loi qui règle ce mouvement... Elle est plutôt tentée de chercher à gauche, à droite, quel point en est le but : elle ignore autant que son antipode qu'elle est elle-même ce point. » (p. 75)

Autre mode de réverbération détournée : l'hypnose, sorte de miroir psychique où là aussi la jeune fille se réfléchit à son insu sous le regard de l'autre :

« Aujourd'hui pour la première fois mes yeux se sont reposés sur elle. On dit que le sommeil peut alourdir une paupière jusqu'à la fermer : ce regard pourrait avoir un pouvoir semblable. Les yeux se ferment, et pourtant des puissances obscures s'agitent en elle. Elle ne voit pas que je la regarde, mais elle le sent, tout son corps le sent. Les yeux se ferment, et c'est la nuit ; mais en elle il fait grand jour. » (p. 116)

Cette oblicité de la séduction n'est pas une duplicité. Là où le trait linéaire se heurte au mur de la conscience et n'escompte qu'un maigre bénéfice, la séduction a plutôt l'oblicité du trait du rêve ou du trait d'esprit, qui d'une seule diagonale traverse l'univers psychique et ses différents niveaux pour aller, aux antipodes, toucher un point aveugle et inconnu, le point scellé du secret, de l'énigme que constitue la jeune fille, pour elle-même aussi.

Il y a donc deux moments simultanés de la séduction, ou deux instants d'un seul moment : il faut que toute l'exigence de la jeune fille soit requise, toutes ses ressources féminines mobilisées, mais suspendues — pas question de la surprendre par inertie, dans son innocence passive, il faut que sa liberté soit en jeu parce que c'est cette liberté qui, dans son mouvement propre, par sa courbure originale ou par la subite torsion que lui imprime la séduction, doit rejoindre, comme spontanément, le point même, inconnu d'elle, où elle se perd. La séduction est un destin : pour qu'il s'accomplisse, il faut que toute la liberté soit là, mais aussi tout entière comme somnambuliquement tendue vers sa perte. La jeune fille doit être plongée dans cet état second, qui redouble l'état premier, l'état de grâce et de souveraineté. Susciter cet état somnambulique où la passion éveillée et ivre d'elle-même s'abîmera dans le piège du destin. « Les yeux se ferment, et c'est la nuit ; mais en elle il fait grand jour. »

Omissions, dénégations, effacement, détournements, déceptions, dérivations — tout cela vise à provoquer cet état second, secret d'une véritable séduction. Alors que la séduction vulgaire procède par l'insistance, celle-ci procède par l'absence, ou plutôt elle invente une sorte d'espace courbe, où les signes sont déviés de leur trajectoire et retournés à leur source. Cet état de suspens, inintelligible, est essentiel, le moment de désarroi de la jeune fille devant ce qui l'attend, tout en sachant, ce qui est nouveau et déjà fatal, que quelque chose l'attend. Moment d'une haute intensité, moment « spirituel » (au sens de Kierkegaard), semblable à celui du jeu entre la mise et le moment où les dés s'arrêtent de rouler.

Ainsi, la première fois où il l'entend donner son adresse, il se refuse à la retenir :

> « Je ne veux pas l'entendre ; je ne veux pas me priver de la surprise ; je pense bien la rencontrer à nouveau dans la vie, et je la reconnaîtrai bien, elle me reconnaîtra peut-être aussi. Et si elle ne me reconnaît pas, j'aurai bien l'occasion de la regarder de côté, et je vous promets qu'elle se rappellera. Pas d'impatience, pas d'avidité. Il faut jouir à longs traits : elle est prédestinée. » (p. 31)

Jeu du séducteur *avec lui-même :* à ce stade-là, ce n'est même pas une ruse, c'est le séducteur qui s'enchante du retard de la séduction. Ce n'est pas là un plaisir mineur, un plaisir d'approche ; car c'est dans cet infime écart que commence de se creuser le gouffre où elle tombera. C'est comme dans l'escrime : il faut du champ pour la feinte. Tout au long le séducteur, loin de chercher à se rapprocher, va travailler à affermir cette distance, par des moyens aussi divers que : ne pas lui adresser la parole et ne parler qu'à la tante, de sujets anodins ou stupides, tout neutraliser par l'ironie et la feinte intellectualité, ne répondre à aucun mouvement féminin ou érotique, jusqu'à lui trouver un soupirant de comédie qui doit la désenchanter de l'amour. Désenchanter, refroidir, décevoir, garder la distance, jusqu'à ce qu'elle-même prenne l'initiative de la rupture des fiançailles, parachevant ainsi le travail de séduction et créant la situation idéale de son abandon total.

Le séducteur est celui qui sait laisser flotter les signes, sachant que seul leur suspens est favorable, et va dans le sens du destin. Ne pas épuiser les signes sur-le-champ, mais attendre le moment où ils se répondront tous les uns aux autres, créant une conjoncture tout à fait particulière de vertige et d'effondrement.

> « Lorsqu'elle se trouve avec ses trois amies, elle parle très peu, il est évident que leur bavardage l'ennuie, un sourire autour de ses lèvres semble porter à le croire. *Je compte sur ce sourire.* »
>
> « Aujourd'hui je suis allé chez Mme Jansen, j'ai entrouvert la porte sans frapper... elle était là toute seule au piano... J'aurais pu surgir alors, j'aurais pu saisir cet instant — ç'eût été une bêtise. Elle cache évidemment qu'elle joue du piano... Quand j'aurai l'occasion un de ces jours de parler avec elle, plus intimement, je l'amènerai tout innocemment sur ce chapitre, et je la ferai tomber dans cette trappe. » (p. 77-78).

Il n'est pas jusqu'aux épisodes de diversion vulgaire, de morceaux de bravoure libertins ou de passades érotiques (ceux-ci occupent de plus en plus de place dans le récit — Cordélia n'apparaît presque plus qu'en filigrane ou en pointillé d'une imagination libertine et folâtre : « Aimer une seule est trop peu ; les aimer toutes est une légèreté de caractère superficiel ; mais en aimer un aussi grand nombre que possible... voilà la jouissance, voilà qui est vivre ! »), il n'est pas jusqu'à ces épisodes de séduction frivole qui ne rentrent dans le « grand jeu » de la séduction, selon la même philosophie de l'oblicité et de la diversion : la « grande » séduction chemine secrètement par les voies de la séduction vile, qui joue comme suspens et comme parodie. Jamais la confusion n'est possible : l'une est un jeu amoureux, l'autre est un duel spirituel. Tous les intermèdes ne font que rehausser le rythme lent, calculé, inéluctable, de la « haute » séduction. Le miroir est toujours là sur le mur opposé, si nous n'y pensons plus, lui y pense et le temps travaille dans le cœur de Cordélia.

Le processus semble bien atteindre son point le plus bas dans le moment des fiançailles. Là on a l'impression d'atteindre un point mort, le séducteur pousse la ruse du désenchantement, la dissuasion jusqu'à un degré presque pervers de mortification ; et on a l'impression qu'à force de subtilité le ressort est brisé, toute féminité chez Cordélia fatiguée, neutralisée par les leurres qui l'entourent. Ce moment des fiançailles, qui « a tant d'importance pour une jeune fille que toute son âme peut s'y fixer comme celle d'un mourant dans sa dernière volonté », ce moment Cordélia le vivra sans même le comprendre, privée de toute réaction, muselée, circonvenue.

> « Un mot, et elle aurait ri de moi ; un mot, et elle aurait été émue ; un mot, et elle m'eût évité ; mais aucun mot ne s'échappait de mes lèvres, je restais solennellement stupide et je suivais strictement le rituel. » « Je ne vanterai pas la poésie de mes fiançailles, elles sont à tous égards prudhommesques et d'esprit boutiquier. » (p. 132-133) « Me voici donc fiancé, Cordélia aussi » (Cordé-

lia aussi !) « et c'est sans doute à peu près tout ce qu'elle sait de cette affaire. »

Tout ceci est une sorte d'épreuve d'anéantissement, telle qu'elle figure dans l'initiation. Il faut que l'initié passe par une phase de mort, même pas de souffrance pathétique : de néant, de vide — ultime moment avant l'illumination de la passion et de l'abandon érotique. Le séducteur inclut en quelque sorte ce moment *ascétique* dans le mouvement *esthétique* qu'il imprime à l'ensemble.

> « Toutes les jeunes filles qui veulent se confier à moi peuvent être assurées d'un traitement parfaitement esthétique ; seulement, à la fin, bien entendu, elles seront trompées. » (p. 141).

Il y a une sorte d'humour à ce que les fiançailles coïncident avec l'évanouissement de tout enjeu apparent de séduction. Ce qui, dans la vision bourgeoise du XIXe siècle, constitue un préambule joyeux au mariage, devient ici un épisode austère d'initiation aux fins sublimes de la passion (qui sont en même temps les fins calculées de la séduction), par la traversée somnambulique du désert des fiançailles. (N'oublions pas que les fiançailles furent l'épisode crucial de la vie de bien des romantiques, et précisément de Kierkegaard, mais aussi, et plus dramatiquement encore : Kleist, Hölderlin, Novalis, Kafka. Moment douloureux, éternel échec, cette passion quasi mystique des fiançailles était peut-être celle (laissons tomber l'impuissance sexuelle !) d'un suspens, d'un enchantement suspendu, et hanté par la peur du désenchantement sexuel ou matrimonial.)

Cependant même là où son objectif et sa présence semblent s'effacer, lui, Johannes continue de vivre la danse invisible de la séduction, il ne la vivra même jamais aussi intensément car c'est là, dans la nullité, dans l'absence, dans le miroir inverse, qu'il est assuré de son triomphe : elle ne pourra que rompre ses fiançailles et se jeter dans ses bras. Tout le feu de la passion est là en transparence, en filigrane, jamais il ne le retrouvera aussi beau que dans cette prémonition, car la jeune fille en cet instant est encore prédestinée, ce qu'elle ne sera plus dans le moment achevé. Or le vertige de la séduction, comme de toute passion, est avant tout dans la prédestination. Elle seule donne cette qualité fatale qui est au fond du plaisir — cette sorte de trait d'esprit qui relie *par avance* quelque mouvement de l'âme à son destin et à sa mort : c'est là que le séducteur triomphe, et c'est là que se lit son intelligence de la vraie séduction comme d'une économie spirituelle — dans la danse invisible des fiançailles :

> « Une danse qui devrait être dansée par deux, mais qui ne l'est que par un, telle est l'image de mon rapport avec elle. Car je suis le danseur numéro deux, mais je suis invisible. Elle se conduit comme si elle rêvait, et pourtant elle danse avec cet autre, moi, invisible bien que visiblement présent, et visible bien qu'invisible.
>
> « Les mouvements exigent un second danseur ; elle s'incline vers lui, elle lui tend la main, elle s'enfuit, elle s'approche de nouveau. Je prends sa

main, je complète sa pensée qui pourtant est achevée en elle-même... Ses mouvements suivent la mélodie de sa propre âme, je ne suis que le prétexte de ces mouvements. *Je ne suis pas érotique,* ce qui ne ferait que l'éveiller, je suis souple, malléable, impersonnel, *je ne suis presque qu'un état d'âme.* » (p. 142)

Ainsi la séduction se présente d'un seul mouvement, comme :

— la conjuration d'une puissance : forme sacrificielle.

— la perpétration d'un meurtre, éventuellement d'un crime parfait.

— l'accomplissement d'une œuvre d'art : « De la séduction considérée comme l'un des Beaux-Arts » (comme l'assassinat bien sûr).

— l'opération d'un trait d'esprit : l'économie « spirituelle ». Avec la même complicité duelle que dans le trait d'esprit, où tout s'échange allusivement, à demi-mot, à fleuret moucheté — l'équivalent de l'échange allusif et cérémoniel d'un secret.

— une forme ascétique d'épreuve spirituelle, mais aussi pédagogique : une sorte d'école de la passion, de maïeutique érotique et ironique à la fois.

« J'avouerai toujours qu'une jeune fille est un professeur-né et qu'on peut toujours apprendre d'elle, sinon autre chose, du moins l'art de la tromper — car en cette matière personne n'égale les jeunes filles pour vous l'apprendre. » (p. 154)

« Toute jeune fille par rapport au labyrinthe de son cœur est une Ariane qui tient le fil grâce auquel on peut s'y retrouver, mais elle ne sait s'en servir elle-même. » (p. 176)

— une forme de duel et de guerre, forme agonale qui n'est jamais celle d'une violence ou d'un rapport de forces, mais celle d'un jeu guerrier. On y retrouve les deux mouvements simultanés de la séduction, ceux de toute stratégie :

« Une double manœuvre sera nécessaire dans mes rapports avec Cordélia... C'est une guerre dans laquelle je prends la fuite, et lui apprends ainsi à vaincre en me poursuivant. Je continuerai à reculer et, dans ce mouvement de repli, je lui apprends à reconnaître sur moi toutes les puissances de l'amour, ses pensées inquiètes, sa passion et ce que sont le désir, l'espérance et l'attente... Le courage de croire à l'amour lui viendra... Il ne faut pas qu'elle soupçonne ce qu'elle me doit... Alors, quand elle se sentira libre, tellement libre qu'elle sera presque tentée de rompre avec moi, la seconde guerre commencera. A ce moment-là, elle aura de la force et de la passion, et la lutte aura de l'importance.

« Même si elle me quitte, la seconde guerre aura lieu. La première est la guerre de délivrance et elle est un jeu ; la seconde est la guerre de conquête, et elle se fera pour la vie ou la mort. » (p. 148-149)

Tous ces enjeux s'organisent autour de la jeune fille comme figure mythique. Elle-même partenaire et enjeu de ce multiple duel n'est donc ni un objet sexuel, ni une figure de l'Eternel Féminin : les deux grandes références occidentales de la femme sont également étrangères à la séduction. Il n'y a pas non plus de victime idéale qui serait la jeune fille, ou de sujet idéal qui serait le séducteur, pas plus que de bourreau ou de victime dans un sacrifice. La fascination qu'elle exerce est celle d'un être mythique, d'un partenaire énigmatique, protagoniste égal au séducteur dans cet ordre presque liturgique du défi et du duel.

Quelle différence avec les *Liaisons Dangereuses* ! Chez Laclos, la femme à séduire est en situation de place forte à emporter, à l'image de la stratégie militaire de l'époque, stratégie moins statique qu'auparavant, mais dont l'objectif reste le même : la reddition. La Présidente est une enceinte à investir, et qui doit tomber. Pas de séduction là-dedans — c'est de la poliorcétique.

La séduction est ailleurs : non du séducteur à la victime, mais entre séducteurs, de Valmont à Merteuil, se partageant comme complicité criminelle par victimes interposées. De même chez Sade : seule la société secrète des bourreaux fonctionne et s'exalte de ses crimes, les victimes ne sont rien.

Rien là de cette science subtile du retournement qui apparaît déjà chez Sun-Tseu dans l'art de la guerre, ou dans la philosophie zen et les arts martiaux orientaux, ou ici dans la séduction, où la jeune fille avec sa passion, sa liberté, fait tout entière partie du mouvement même de la stratégie. « Elle était une énigme qui, énigmatiquement, possédait en elle-même sa propre résolution. »

Dans ce duel, tout est commandé par le passage de l'éthique à l'esthétique, de la *passion naïve* à la *passion réfléchie* :

> « J'appellerais sa passion présente une passion naïve. Mais lorsque je commencerai à me retirer tout de bon, elle mettra tout en œuvre pour me charmer réellement. Comme moyen, il ne lui restera que l'érotisme lui-même, mais sur une échelle autrement vaste. Il sera une arme qu'elle brandira contre moi. Et voilà la passion réfléchie qui s'annoncera. Elle luttera à cause d'elle-même, parce qu'elle sait que je possède l'érotisme ; elle luttera à cause d'elle-même afin de me vaincre. Elle aura même besoin d'une forme supérieure de l'érotisme. Ce que par mes stimulants je lui ai appris à soupçonner, ma froideur le lui fera alors comprendre, mais de façon qu'elle pensera le découvrir elle-même. Elle voudra me prendre au dépourvu, elle croira me dépasser en hardiesse et par là m'avoir pris. Sa passion deviendra alors décidée, énergique, concluante, dialectique, son baiser total, son étreinte d'un élan irrésistible. »

L'éthique, c'est la simplicité (celle du désir aussi), c'est la naturalité, dont fait partie la grâce naïve de la jeune fille, et son élan spontané. L'esthétique, c'est le jeu des signes, c'est l'artifice — c'est la séduction. Toute éthique doit se résoudre en une esthétique. Pour le séducteur de Kierkegaard comme pour Schiller, Hölderlin, voire Marcuse, le passage à l'esthétique est le plus haut mouvement que puisse se donner l'espèce humaine. Mais l'esthétique du séducteur est bien différente : elle n'est pas divine et transcendante, elle est ironique et diabolique — sa forme n'est pas celle de l'idéal, mais celle du trait d'esprit — elle n'est pas dépassement de l'éthique, mais détournement, inflexion, séduction, transfiguration certes, mais par le miroir de la déception. Cependant la stratégie de leurre du séducteur n'est pas non plus un mouvement pervers, elle fait partie de cette esthétique de l'ironie qui vise à muer l'érotisme vulgaire des corps en passion et en trait d'esprit :

> « Elle n'a pas le courage de m'appeler « mon » (Johannes). Aujourd'hui je lui en fis la prière de façon aussi insinuante et chaudement érotique que possible. Elle s'y hasardait, mais un regard ironique, plus bref et plus rapide que le mot, suffit à l'en empêcher, en dépit de mes lèvres qui l'y incitaient de tout leur pouvoir. *C'est là quelque chose de tout à fait normal.* » (p. 216)
>
> « Erotiquement elle est tout armée pour la lutte ; elle y emploie les flèches des yeux, le froncement des sourcils, le front plein de mystère, l'éloquence de la gorge, les séductions fatales du sein, les supplications des lèvres, le sourire de ses joues, l'aspiration douce de tout son être. Il y a en elle la force, l'énergie d'une Walkyrie, mais cette plénitude de force éroti-

> que se tempère à son tout d'une certaine langueur tendre qui est comme exhalée sur elle. — *Il ne faut pas qu'elle soit trop longtemps maintenue sur de tels sommets...* » (p. 217)

Toujours l'ironie prévient une effusion mortelle qui anticiperait sur la fin du jeu et couperait court aux possibilités inouïes de chacun des joueurs, que seule la séduction peut déployer, au prix d'un suspens, d'un clinamen ironique, de la désillusion qui laisse ouvert le champ esthétique.

Parfois le séducteur a des faiblesses. Ainsi il lui arrive, dans un accès d'émotion, de se lancer dans une litanie panégyrique de la beauté féminine divisible à l'infini, détaillée dans ses infimes nuances érotiques (p. 223, 224, 225), puis rassemblée en une seule figure, dans l'imagination chaude d'un désir total — c'est la vision de Dieu — mais immédiatement reprise et réversibilisée dans l'imagination du Diable, l'imagination froide de l'apparence : la femme est le rêve de l'homme — d'ailleurs Dieu l'a tirée de l'homme pendant son sommeil. Elle a donc tous les traits du rêve, et les restes diurnes du réel, pourrait-on dire, s'y mêlent en songe.

> « Elle ne s'éveille qu'au contact de l'amour, et avant elle n'est que rêve. Mais dans cette existence de rêve on peut distinguer deux phases : d'abord l'amour rêve d'elle, puis elle rêve de l'amour. » (p. 226)

Lorsqu'elle s'est donnée entièrement, c'est fini, elle est morte, elle a perdu cette grâce de l'apparence, elle est devenue sexe, elle est devenue femme. Dans un seul et dernier moment, « quand elle avance dans sa toilette de mariée, et que toute cette splendeur pâlit pourtant devant sa beauté, et qu'elle-même pâlit à son tour... » (p. 236), elle a encore la splendeur de l'apparence — bientôt il sera trop tard.

Tel est le partage métaphysique du séducteur, la beauté, le sens, la substance, Dieu par-dessus tout, sont *éthiquement jaloux d'eux-mêmes*. La plupart des choses sont éthiquement jalouses d'elles-mêmes, elles gardent leur secret, elles veillent sur leur sens. La séduction, elle, qui est du côté de l'apparence et du Diable, est *esthétiquement jalouse d'elle-même*.

La question que Johannes se pose, après les péripéties de l'abandon final (Cordélia s'abandonne, et elle est immédiatement abandonnée), c'est : « Ai-je été avec Cordélia constamment fidèle à mon pacte? C'est-à-dire à mon pacte avec l'esthétique? Ai-je toujours eu l'idée de mon côté? Ai-je toujours sauvegardé ce qui est intéressant? » (p. 238). Car séduire tout bonnement n'est intéressant qu'à la première puissance — ici il s'agit de ce qui est *intéressant à la deuxième puissance*. Cette potentialisation est le secret de l'esthétique. Seul l'intéressant de l'intéressant a la puissance esthétique de la séduction.

Le travail du séducteur est en quelque sorte de faire accéder les charmes naturels de la jeune fille à l'apparence pure, de les faire resplendir dans l'apparence pure c'est-à-dire dans la sphère de la séduction, et là de les détruire. Car la plupart des choses, hélas, ont un sens et une profondeur, *seules quelques-unes accèdent à l'apparence* et celles-là seules sont absolument séduisantes. La séduction est dans le mouvement de transfiguration des choses dans l'apparence pure.

C'est ainsi que la séduction s'achève comme mythe, dans le vertige des apparences, juste avant de s'accomplir dans le réel. « Tout est image, et je suis mon propre mythe, car n'est-ce pas comme un mythe que je vole à cette rencontre ?... Allez, vite, pour la vie et pour la mort, les cheveux dussent-ils s'effondrer, mais pas une seconde avant l'arrivée. » (p. 249)

Une seule nuit — tout est fini : « Je ne désire plus jamais la voir. » Elle a tout donné, elle est perdue, comme ces innombrables héroïnes vierges de la mythologie grecque muées en fleurs par un destin second où elles retrouvent une grâce végétative et funèbre, écho de la grâce séductrice de leur premier destin. Mais, ajoute le séducteur de Kierkegaard avec cruauté, « nous ne sommes plus au temps où le chagrin d'une jeune fille délaissée la transformait en héliotrope ». (p. 250) Et, d'une façon encore plus cruelle et inattendue : « Si j'étais un dieu, je ferais ce que fit Neptune pour une nymphe : je la transformerais en homme. » C'est dire que la femme n'existe pas. Seule existe la jeune fille, par le sublime de son état, et l'homme, par sa puissance à la détruire.

Mais la passion mythique de la séduction ne cesse pas d'être ironique. Elle se couronne d'un dernier trait mélancolique : l'ultime mise en scène de la maison qui sera le décor de l'abandon amoureux. Moment de suspens où le séducteur rassemble tous les traits épars de sa stratégie et les contemple une dernière fois comme avant de mourir. Ce qui aurait dû être un décor triomphal n'est déjà plus que le site mélancolique d'une histoire défunte. Tout y est reconstitué afin de saisir d'un seul coup l'imagination de Cordélia, dans le moment ultime où son destin bascule ; le cabinet où ils se rencontraient, avec le même sofa, la même lampe, la même table à thé, tel que tout cela avait « failli être » jadis, et tel que *c'est* ici, dans une ressemblance définitive. Sur le piano ouvert, sur le porte-musique, le même petit air suédois — Cordélia entrera par la porte du fond, tout est prévu, elle découvrira le résumé de toutes les scènes vécues ensemble. L'illusion est parfaite. En fait, le jeu est fini, mais c'est le comble ironique du séducteur que de rassembler tous les fils qu'il a tramés depuis le début dans une sorte de feu d'artifices (c'est le cas de le dire) qui est aussi l'oraison funèbre et parodique de l'amour couronné.

Cordélia, elle, ne reparaîtra plus, sauf dans les quelques lettres désespérées qui ouvrent le récit, et ce désespoir même est étrange. Ni exactement trompée ni exactement dépossédée dans son désir, mais *spirituellement détournée* par un jeu dont elle n'a pas connu la règle. Jouée comme par un sortilège — l'impression d'avoir été sans le savoir l'enjeu d'une machination très intime, d'une machination bien plus anéantissante, d'un rapt spirituel : c'est en effet sa propre séduction qui lui a été volée et retournée contre elle. Destin sans nom, dont la stupeur qui en résulte est différente du simple désespoir.

« Ces victimes-là étaient d'une espèce bien particulière... Aucun changement visible ne s'était opéré en elles ; leur vie était semblable à celle qu'on voit tous les jours, et cependant elles avaient changé, sans presque pouvoir se l'expliquer... Leur vie n'était pas brisée ni rompue, comme celle des autres (victimes), elle était repliée au-dedans d'elles-mêmes. Perdues pour les autres, elles essayaient vainement de se retrouver » (p. 15).

LA PEUR D'ÊTRE SÉDUIT

Si la séduction est une passion ou un destin, c'est plus souvent la passion inverse qui l'emporte : celle de ne pas être séduit. Nous luttons pour nous fortifier dans notre vérité, nous luttons contre ce qui veut nous séduire. Nous renonçons à séduire de peur d'être séduit.

Tous les moyens sont bons pour y échapper. Ils vont de séduire l'autre sans trêve pour ne pas être séduit jusqu'à faire semblant d'être séduit pour couper court à toute séduction.

L'hystérie conjugue la passion de la séduction et celle de la simulation. Elle se protège de la séduction par l'offre de signes piégés puisque, dans le moment où ils se donnent à lire sur un mode exacerbé, il nous est refusé d'y croire. Les scrupules, les remords exagérés, les avances pathétiques, la sollicitation incessante, cette façon tournoyante de dissoudre les événements et de se rendre insaisissable, ce vertige imposé aux autres, et cette déception, tout cela est dissuasion séductive, et le projet obscur en est moins de séduire que de ne jamais se laisser séduire.

L'hystérique est sans intimité, sans secret, sans affect, tout entière vouée au chantage extérieur, à la crédibilité éphémère, mais totale, de ses « symptômes », à l'exigence absolue de faire croire (comme le mythomane avec ses histoires) et à la déception simultanée de toute croyance — et ceci sans même faire appel à une illusion partagée. Demande absolue, mais insensibilité totale à la réponse. Demande volatilisée dans les effets de signes et de mise en scène. La séduction elle aussi se rit de la vérité des signes, mais elle en fait une apparence réversible, tandis que l'hystérie en joue sans partage. C'est comme si elle s'appropriait à elle seule le processus entier de la séduction, pratiquant elle-même sa surenchère et ne laissant à l'autre que l'ultimatum de sa *conversion* hystérique, sans *réversion* possible. L'hystérique réussit à faire de son propre corps un obstacle à la séduction : séduction médusée par son propre corps, fascinée par ses propres symptômes. Ne visant qu'à méduser l'autre en retour, dans une mouvance qui donne le change et n'en est que le psychodrame pathétique — si la séduction est un défi, l'hystérie est un chantage.

La plupart des signes, des messages (des autres aussi) nous sollicitent aujourd'hui sur ce mode hystérique, sur le mode du faire-parler, du faire-croire, du faire-jouir par dissuasion, sur le mode du chantage à une transaction aveugle, psychodramatique, sur des signes dénués de sens, et qui se multiplient, s'hypertrophient justement parce qu'ils n'ont plus de secret, plus de créance. Signes sans foi, sans affect, sans histoire, signes terrifiés à l'idée de signifier — tout comme l'hystérique est terrifiée à l'idée d'être séduite.

En réalité, c'est cette absence que nous avons au cœur de nous-mêmes qui terrifie l'hystérique. Il faut qu'elle se vide, par son jeu incessant, de cette absence au secret de laquelle on pourrait l'aimer, elle pourrait s'aimer. Miroir derrière lequel, proche du suicide, mais refaisant du suicide comme de toutes choses un processus de séduction théâtral et contrarié — elle reste immortelle en sa mouvance spectaculaire.

Même processus, mais d'hystérie inverse, dans l'anorexie, la frigidité ou l'impuissance : faire de son corps un miroir retourné, y effacer tout signe de séduction, le désenchanter ou le desexualiser, c'est encore en appeler au chantage et à l'ultimatum : « Vous ne me séduirez pas, je vous défie de me séduire. » Par où la séduction transparaît dans sa dénégation même, puisque le défi en est une des modalités fondamentales. Simplement le défi doit laisser place à une réponse, il doit veiller (sans le vouloir) à se laisser séduire, alors qu'ici le jeu est fermé. Et il l'est une fois de plus par le corps, ici par la mise en scène du refus de séduction — alors que l'hystérique s'en tire par la mise en scène de la demande de séduction. Dans tous les cas, c'est un déni de séduire et d'être séduit.

Le problème n'est donc jamais celui de l'impuissance sexuelle ou alimentaire, avec son cortège de raisons et de déraisons psychanalytiques, mais celui de *l'impuissance quant à la séduction*. Désaffection, névroses, angoisse, frustration, tout ce que rencontre la psychanalyse vient sans doute de ne pouvoir aimer ou être aimé, de ne pouvoir jouir ou donner de jouissance, mais le désenchantement radical vient de la séduction et de son échec. Seuls sont malades ceux qui sont profondément hors séduction, même s'ils sont encore tout à fait capables d'aimer et de jouir. Et la psychanalyse qui croit traiter des maladies du désir et du sexe traite en réalité des maladies de la séduction (qu'elle n'a pas peu contribué elle-même à placer hors séduction et à enfermer dans le dilemme du sexe). Le déficit le plus grave est toujours du côté du charme, non de la jouissance, du côté de l'enchantement, non de la satisfaction vitale ou sexuelle, du côté de la règle (du jeu) et non de la Loi (symbolique). La seule castration est celle de la déprivation de séduction.

Qui heureusement échoue sans cesse, la séduction renaissant tel le phénix de ses cendres, et le sujet ne pouvant empêcher que tout cela redevienne, dans l'impuissance et l'anorexie par exemple, une tentative ultime et désespérée de séduction, que le déni redevienne un défi. C'est peut-être même dans ces aspects exacerbés de dénégation sexuelle de soi-même que s'exprime la séduction dans sa forme la plus pure, puisque c'est encore dire à l'autre : « Prouve-moi qu'il ne s'agit pas de cela. »

D'autres passions s'opposent à la séduction, qui heureusement échouent le plus souvent aussi à l'extrême de leur entreprise : la collection par exemple, le fétichisme collecteur. Leur affinité antagoniste avec la séduction n'est peut-être si grande que parce qu'il s'agit là aussi d'un jeu, avec sa règle, dont l'intensité peut se substituer à toute autre : passion d'une abstraction telle qu'elle défie toute loi morale, pour ne garder que le cérémonial absolu d'un univers fermé, dans lequel le sujet se séquestre lui-même.

Le collectionneur est un jaloux qui cherche l'exclusivité de son objet mort sur lequel il assouvit sa passion fétichiste. Réclusion, séquestration : c'est toujours lui-même qu'il collectionne d'abord. Et il ne saurait être distrait de cette folie, puisque son amour de l'objet, la stratégie amoureuse dont il l'entoure, c'est d'abord la haine et l'effroi de la séduction qui en émane. Autant pour lui d'ailleurs : répulsion de toute séduction qui pourrait venir de lui-même.

The Collector (L'Obsédé), film et roman, illustrait ce délire. N'ayant su séduire une jeune femme, ni s'en faire aimer (mais veut-il d'une séduction, veut-il d'une spontanéité amoureuse ? Certainement pas : il veut forcer l'amour, forcer la séduction), un homme l'enlève et la séquestre dans le sous-sol d'une maison de campagne, préalablement équipé pour ce genre de séjour. Il l'installe, la soigne, l'entoure de multiples attentions, mais il brise toutes ses tentatives d'évasion, déjoue toutes ses ruses, il ne lui fera grâce que si elle s'avoue vaincue et séduite, que si enfin elle l'aime spontanément. Au fil du temps se noue entre eux, dans la promiscuité forcée, une forme trouble et indécise de connivence — il l'invite un soir à dîner « en haut », avec toutes les précautions. Et voilà qu'elle entreprend vraiment de le séduire et s'offre à lui. Peut-être l'aime-t-elle à ce moment, peut-être ne veut-elle que le désarmer. Les deux sans doute. Quoi qu'il en soit, ce mouvement provoque chez lui une angoisse panique, il la frappe, l'insulte et la remet sous séquestre dans la cave. Il ne la respecte plus, il la déshabille, et prend des clichés pornographiques qu'il rassemble dans un album (il collectionne par ailleurs les papillons, dont il lui a montré sa collection avec fierté). Elle tombe malade, puis dans une sorte de coma, il ne s'en occupe plus, elle va mourir, il l'enterre dans la cour. Et les dernières images le montrent à la recherche d'une autre femme à séquestrer pour la séduire à tout prix.

L'exigence d'être aimé, l'impuissance à être séduit. Quand même la femme finit par être séduite (assez pour vouloir le séduire), lui ne peut accepter cette victoire : il préfère y voir un maléfice sexuel et la punir. Ce n'est pas une question d'impuissance (ce n'est *jamais* une question d'impuissance), c'est qu'il préfère le charme jaloux de la collection d'objets morts — l'objet sexuel mort est aussi beau qu'un papillon aux élytres fluorescentes — à la séduction d'un être vivant qui le mettrait en demeure d'aimer lui aussi. Plutôt la fascination monotone de la collection, qui est celle de la différence morte — plutôt l'obsession du même que la séduction de l'autre. C'est pourquoi on pressent dès le début qu'elle mourra, non parce qu'il est un fou dangereux, mais bien parce que c'est un être logique, et d'une logique irréversible : séduire sans être séduit — pas de réversibilité.

Dans ce cas-là il faut que l'un des deux meure, et c'est toujours le même, parce que l'autre est déjà mort. L'autre est immortel et indesctructible, comme l'est toute perversion, ce qu'illustre l'inéluctable recommencement de la fin du film (non sans humour d'ailleurs : les jaloux, comme les pervers, sont pleins d'humour hors de leur sphère d'enfermement, et jusque dans la minutie de leurs procédures). De toute façon, il s'est enfermé lui-même dans une logique insoluble : tous les signes d'amour qu'elle pourra lui donner seront interprétés à l'inverse. Et les plus tendres seront les plus suspects. Il se contenterait peut-être de signes convenus, mais ce qu'il ne supporte pas, c'est une véritable sollicitation amoureuse : dans sa logique à lui, elle a signé son arrêt de mort.

L'histoire n'est pas celle d'un supplice : elle est émouvante. Qui a dit que la plus belle preuve d'amour fut dans le respect de l'autre et de son désir ? Le prix payé par la beauté et la séduction est peut-être d'être séquestrée et mise à mort, parce qu'elle est trop dangereuse, et qu'on ne pourra jamais lui rendre ce qu'elle vous donne. On ne peut alors que lui donner la mort. La jeune fille reconnaît ceci en quelque sorte puisqu'elle se rend à cette séduction plus haute qui lui est offerte dans la métaphore de la séquestration. Simplement elle ne peut plus répondre que par une offre sexuelle, qui apparaît en effet triviale en regard du défi qu'elle-même pose par sa beauté. Jamais les plaisirs du sexe n'aboliront l'exigence de séduction. Jadis chaque mortel était tenu de racheter son corps vivant par le sacrifice, aujourd'hui encore toute forme séductrice, peut-être même toute forme vivante est tenue de se racheter par la mort. Telle est la loi symbolique — qui n'est pas une loi d'ailleurs, mais une règle inéluctable, c'est-à-dire que nous y adhérons sans fondement, comme par une évidence arbitraire, et non du tout selon quelque principe qui nous dépasse.

Faut-il conclure que toute tentative de séduction se résout par le meurtre de l'objet, ou n'est-elle jamais, ce qui est la nuance d'une même chose, qu'une tentative pour rendre l'autre fou ? Le charme qu'on peut exercer sur l'autre est-il toujours maléfique ?

N'est-il que la rétorsion vengeresse du charme qu'il exerce sur vous ? Le jeu qui se joue là est-il un jeu de mort, plus proche de la mort en tout cas que l'échange serein des plaisirs sexuels ? Séduire implique qu'on le paye du fait d'être séduit, c'est-à-dire arraché à soi et devenu l'enjeu d'un sortilège : ici tout obéit à la règle symbolique du partage immédiat qui dicte également le rapport sacrificiel des hommes aux dieux dans les cultures de la cruauté, c'est-à-dire celles d'une reconnaissance et d'un partage sans limites de la violence. Or, la séduction fait partie d'une culture de la cruauté, elle en est la seule forme cérémonielle qui nous reste, elle est en tout cas ce qui nous désigne notre mort sous une forme non pas accidentelle et organique, mais nécessaire et rigoureuse et conséquence inéluctable d'une règle du jeu : la mort reste l'enjeu de tout pacte symbolique, que ce soit celui du défi, du secret, de la séduction ou de la perversion.

Séduction et perversion entretiennent des rapports subtils. La séduction n'est-elle pas déjà une forme de détournement de l'ordre du monde ? Pourtant, entre toutes les passions, entre tous les mouvements de l'âme, la perversion est peut-être celle qui s'oppose de plus près à la séduction.

Toutes deux sont cruelles et indifférentes quant au sexe.

La séduction est quelque chose qui s'empare de tous les plaisirs, de tous les affects et représentations, qui s'empare des rêves eux-mêmes pour les reverser à autre chose que leur déroulement primaire, à un jeu plus aigu et plus subtil, dont l'enjeu n'a plus ni fin ni origine, ni celle d'une pulsion, ni celle d'un désir.

S'il y a une *loi naturelle* du sexe, un principe de plaisir, alors la séduction consiste à en renier le principe et à y substituer une règle du jeu, une règle *arbitraire,* et dans ce sens elle est *perverse.* L'immoralité de la perversion, comme celle de la séduction, ne vient pas d'un abandon aux plaisirs sexuels contre toute morale, elle vient d'un abandon, plus grave et plus subtil, du sexe lui-même comme référence et comme morale, y compris dans ses plaisirs.

Jouer, non jouir. Le pervers est froid quant au sexe. Il transmue la sexualité et le sexe en vecteur rituel, en abstraction rituelle et cérémoniale, en un enjeu brûlant de signes au lieu d'un échange de désir. Il en fait passer toute l'intensité au niveau des signes et de leur déroulement comme Artaud la faisait passer au niveau du déroulement théâtral (l'irruption sauvage des signes dans la réalité), violence cérémoniale elle aussi, et non du tout pulsionnelle — seul le rite est violent, seule la règle du jeu est violente, parce qu'elle met fin au système du réel : telle est la véritable cruauté, qui n'a rien à voir avec le sang. Et la perversion dans ce sens est cruelle.

La puissance de fascination de l'ordre pervers lui vient d'un culte rituel fondé sur la règle. Pervers n'est pas ce qui transgresse la loi, mais ce qui échappe à la loi pour se vouer à la règle, échappe non seulement à la finalité reproductrice, mais à l'ordre sexuel lui-même et à sa loi symbolique pour rejoindre une forme ritualisée, réglée, cérémoniale.

Le contrat pervers n'est justement pas un contrat, une tractation entre deux échangistes libres, mais un *pacte* visant l'observance d'une règle, et instaurant une relation duelle (comme le défi), c'est-à-dire excluant tout tiers (à la différence du contrat), et indissociable en termes individuels. C'est ce pacte et cette relation duelle, c'est ce réseau d'obligations *étrangères à la loi* qui rendent la perversion d'une part invulnérable au monde extérieure, d'autre part inanalysable en termes d'inconscient individuel, et donc inacessible à la psychanalyse. Car l'ordre de la règle n'est pas de la juridiction de la psychanalyse, seul celui de la loi lui appartient. Or la perversion fait partie de cet autre univers.

La relation duelle abolit la loi de l'échange. La règle perverse abolit la loi naturelle du sexe. Arbitraire, comme celle d'un jeu, peu importe son contenu, l'essentiel est l'imposition d'une règle, d'un signe ou d'un système de signes faisant abstraction du sexuel (ce peut être le numéraire comme chez Klossowski, devenu vecteur rituel de perversion, et tout entier détourné de la loi naturelle de l'échange).

D'où l'affinité entre les couvents, les sociétés secrètes, les châteaux de Sade et l'univers pervers. Les vœux, les rites, les interminables protocoles sadiens. C'est le culte de la règle qui les conjoint — c'est la règle, et non le dérèglement, qui est partagée. Et, à l'intérieur de cette règle, le (couple) pervers peut fort bien admettre toutes les entorses et distorsions sociales et sentimentales, car ceci ne touche que la loi (ainsi chez Goblot la classe bourgeoise : on peut tout s'y permettre pourvu que la règle de la classe, le système de signes arbitraires qui la définit comme caste, soit sauf). Toutes les transgressions sont possibles, mais non l'infraction à la Règle.

Ainsi perversion et séduction s'attirent dans leur commun défi à l'ordre naturel. Pourtant elles s'opposent violemment en de multiples occasions comme dans le récit du *Collector,* où on voit la passion jalouse et perverse triompher de la séduction. Ou encore dans l'histoire de la *Danseuse* rapportée par Léo Scheer : un SS des camps de concentration force une jeune fille juive à danser devant lui avant de mourir. Elle le fait, et au fur et à mesure qu'elle danse et captive le SS, elle s'approche de lui, lui subtilise son arme et le tue. Des deux univers en présence, celui du SS, modèle d'une puissance perverse et sidérante, d'une puissance de fascination (celle dévolue à la souveraineté de qui détient votre mort) et celui de la jeune fille, modèle de séduction par la danse, le dernier triomphe : la séduction fait irruption dans l'ordre de la fascination et le réversibilise (la plupart du temps il ne lui est pas même laissé la chance d'y entrer). Il est clair, ici, que les deux logiques s'excluent et sont mortelles l'une pour l'autre.

Mais n'y a-t-il pas plutôt un cycle de réversion continuelle entre les deux ? La passion collectrice finit par exercer quand même sur la jeune fille une sorte de séduction (ou n'est-ce que de la fascination ? Mais, de nouveau, où est la différence ?), une sorte de vertige qui vient de ce que cherchant désespérément à circonscrire un univers forclos, elle dessine en même temps un lieu d'effondrement, un vide, qui exerce, à force d'anti-séduction, une nouvelle forme d'attraction.

Une certaine séduction est perverse : l'hystérique, puisqu'elle use de la séduction pour s'en défendre. Mais une certaine perversion est séduisante, puisqu'elle use du détour de la perversion pour séduire.

Dans l'hystérie, la séduction devient obscène. Mais dans certaines formes de pornographie, l'obscénité redevient séduisante. La violence peut séduire. Le viol lui-même ? L'odieux et l'abject peuvent séduire. Où s'arrête le détour de la perversion ? Où s'achève le cycle de la réversion, et doit-on l'arrêter ?

Pourtant il subsiste une différence profonde : le pervers se méfie radicalement de la séduction et tente de le codifier. Il tente d'en fixer les règles, de les formaliser dans un texte, de les énoncer dans un pacte. Ce faisant, il brise la règle fondamentale, qui est celle du secret. Au lieu d'observer le cérémonial souple, le duel souple de la séduction, le pervers veut instaurer un cérémonial fixe, un duel fixe. En faisant de la règle quelque chose de sacré et d'obscène, en la visant comme fin, *c'est-à-dire comme loi,* il trace une défense absolue : c'est le théâtre de la règle qui prend le dessus, comme dans l'hystérie le théâtre du corps. Plus généralement toutes les formes perverses de la séduction ont ceci de commun qu'elles en trahissent le secret, et la règle fondamentale qui est qu'elle ne doit jamais être dite.

Dans ce sens, le séducteur lui-même est pervers. Car lui aussi détourne la séduction de sa règle secrète, et la détourne dans une opération concertée. Il est à la séduction ce que le tricheur est au jeu. Si la finalité du jeu est de gagner, alors le tricheur est le seul vrai joueur. Si la séduction avait un objectif, alors le séducteur en serait la figure idéale. Mais justement ni le jeu ni la séduction ne sont cela, et il y a fort à parier que ce qui détermine la pratique du tricheur et le fait se rabattre sur une stratégie cynique de gain à tout prix, c'est la haine du jeu, le refus de la séduction propre au jeu tout comme il y a fort à parier que c'est la peur de la séduction qui règle le comportement du séducteur, la peur d'être séduit et d'affronter un défi aventureux à sa propre vérité : c'est cela qui l'engage dans la conquête sexuelle, et bientôt dans d'innombrables conquêtes où il puisse fétichiser sa stratégie.

C'est toujours dans un univers maniaque de la maîtrise et de la loi que s'engage le pervers. Maîtrise de la règle fétichisée, circonscription rituelle absolue : ça ne joue plus. Ça ne bouge plus. C'est mort, et ça ne peut plus mettre en jeu que sa propre mort. Le fétichisme est la séduction du mort, y compris celui de la règle dans la perversion.

La perversion est un défi gelé, la séduction est un défi vivant. La séduction est mouvante et éphémère, la perversion est monotone et interminable. La perversion est théâtrale et complice, la séduction est secrète et réversible.

Les systèmes hantés par leur systématicité sont fascinants : ils captent la mort comme énergie de fascination. Ainsi la passion collectrice tente de cerner, d'immobiliser la séduction et de la transformer en énergie de mort. C'est alors *leur défaillance, qui redevient séduisante.* La terreur est défaite par l'ironie. Ou bien la séduction guette les systèmes à leur point d'inertie, là où ils s'arrêtent, où il n'y a plus rien au-delà, ni de représentation possible — point de non-retour où les trajectoires se ralentissent et où l'objet est absorbé par sa propre force de résistance et sa propre densité. Que se passe-t-il aux alentours de ce point d'inertie ?

L'objet s'y distord comme le soleil réfracté par les couches différentielles à l'horizon — écrasé par sa propre masse, il n'obéit plus à ses propres lois. De tels processus d'inertie nous ne savons rien, sinon ce qui les guette à l'orée de ce trou noir : le point de non-retour redevient celui d'une réversibilité totale, d'une catastrophe où l'arc de la mort se dénoue en un nouvel effet de séduction.

3

Le destin politique de la séduction

LA PASSION DE LA RÈGLE

Nul joueur ne doit être plus grand
que le jeu lui-même.

Rollerball

C'est ce que dit le *Journal du Séducteur* : il n'y a pas dans la séduction de sujet maître d'une stratégie et celle-ci, lorsqu'elle se déploie dans la pleine conscience de ses moyens, est encore soumise à une règle du jeu qui la dépasse. Dramaturgie rituelle au-delà de la loi, la séduction est un jeu et un destin, tel que les protagonistes en sont portés vers leur fin inéluctable, sans enfreindre la règle — car c'est elle qui les lie — et telle est l'obligation fondamentale : il faut que le jeu continue, fût-ce au prix de la mort. Une sorte de passion lie donc les joueurs à la règle qui les lie, et sans laquelle il n'y aurait pas de jeu possible.

Nous vivons communément dans l'ordre de la Loi, jusques et y compris dans le phantasme de l'abolir. Nous ne voyons d'au-delà de la loi que dans la transgression ou la levée de l'interdit. Car le schème de la Loi et de l'interdit commande au schème inverse de transgression et de libération. *Or ce qui s'oppose à la loi n'est pas du tout l'absence de loi, c'est la Règle.*

La Règle joue sur un enchaînement immanent de signes arbitraires, alors que la Loi se fonde sur un enchaînement transcendant de signes nécessaires. L'une est cycle et récurrence de procédures conventionnelles, l'autre est une instance fondée dans une continuité irréversible. L'une est de l'ordre de l'obligation, l'autre de la contrainte et de l'interdit. Parce que la Loi instaure une ligne de partage, elle peut et doit être transgressée. Par contre, il n'y a aucun sens à « transgresser » une règle du jeu : dans la récurrence d'un cycle, il n'y a pas de ligne à franchir (on sort du jeu, un point c'est tout). Parce que la Loi, que ce soit celle du signifiant, de la castration ou celle de l'interdit social, se veut le signe discursif d'une instance légale, d'une vérité cachée, elle instaure partout l'interdit, le refoulement, et donc la partition d'un discours manifeste et d'un discours latent. La règle étant conventionnelle, arbitraire et sans vérité cachée, ne connaît pas de refoulement, ni la distinction du manifeste et du latent : elle n'a tout simplement pas de sens, elle ne mène nulle part, alors que la Loi a une finalité déterminée. Le cycle réversible sans fin de la Règle s'oppose à l'enchaînement linéaire et final de la Loi.

Les signes n'ont pas le même statut dans l'une et dans l'autre. La Loi est de l'ordre de la représentation, donc justiciable d'une interprétation et d'un déchiffrement. Elle est de l'ordre d'un décret et d'une énonciation dont le sujet n'est pas indifférent. Elle est un *texte,* qui tombe sous le coup du sens et de la référence. La Règle n'a pas de sujet, et la modalité de son énonciation importe peu ; on ne la déchiffre pas, et le plaisir du sens n'y existe pas — seule compte son observance et le vertige de son observance. Cela distingue aussi la passion rituelle du jeu, et son intensité, de la jouissance qui s'attache à l'obéissance de la Loi, ou à sa transgression.

Sans doute faut-il se défaire, pour saisir l'intensité de la forme rituelle, de l'idée que tout bonheur nous vient de la nature, que toute jouissance nous vient de l'accomplissement d'un désir. Le jeu, la sphère du jeu nous révèle au contraire la passion de la règle, le vertige de la règle, la puissance qui vient d'un cérémonial, et non d'un désir.

L'extase du jeu vient-elle d'une situation de rêve telle qu'on s'y meut dégagé du réel et libre de quitter le jeu à tout moment ? Mais c'est faux : le jeu est soumis à des règles, ce que n'est pas le rêve, et on ne lâche pas le jeu. L'obligation qu'il crée est du même ordre que celle du défi. Lâcher le jeu n'est pas de jeu, et l'impossibilité de nier le jeu de l'intérieur, qui fait son enchantement et le différencie de l'ordre du réel, crée en même temps un pacte symbolique, une contrainte d'observance sans restriction et l'obligation d'aller au bout du jeu comme d'aller au bout du défi.

L'ordre qu'institue le jeu, étant conventionnel, est sans commune mesure avec l'ordre nécessaire du monde réel : il n'est ni éthique ni psychologique, et son acceptation (celle de la règle) n'est ni résignation ni contrainte. Il n'y a donc tout simplement pas de liberté du jeu dans notre sens moral et individuel. Le jeu n'est pas liberté. Il n'obéit pas à la dialectique du libre arbitre qui est celle, hypothétique, de la sphère du réel et de la loi. Entrer dans le jeu, c'est entrer dans un système rituel d'obligation, et son intensité vient de cette forme initiatique — non du tout de quelque effet de liberté, comme nous aimons à le croire, par un effet strabique de notre idéologie, qui louche partout vers cette seule source « naturelle » de bonheur et de jouissance.

Le seul principe du jeu, mais qui n'est jamais posé comme universel, c'est que *le choix de la règle vous y délivre de la loi.*

Sans fondement psychologique ou métaphysique, la règle est aussi sans fondement de croyance. A une règle on ne croit ni ne croit pas — on l'observe. Cette sphère diffuse de la croyance, l'exigence de crédibilité qui enveloppe tout le réel, est volatilisée dans le jeu — de là son immoralité : de *procéder sans y croire*, de laisser rayonner la fascination directe de signes conventionnels, d'une règle sans fondement.

La dette aussi y est effacée : rien ne s'y rachète, aucun compte ne s'y règle avec le passé. Pour la même raison, la dialectique du possible et de l'impossible lui est étrangère : aucun compte ne s'y règle avec le futur. Rien n'y est « possible », puisque tout s'y joue et s'y résout sans alternative et sans espoir, dans une logique immédiate et sans rémission. C'est pourquoi on ne rit pas autour d'une table de poker, car la logique du jeu est cool, mais non désinvolte, et le jeu, étant sans espoir, n'est jamais obscène et ne prête jamais à rire. Il est certes plus sérieux que la vie, ce qui se voit dans le fait paradoxal que la vie peut en redevenir l'enjeu.

Il n'est donc pas davantage fondé sur le principe de plaisir que sur le principe de réalité. Son ressort, c'est l'enchantement de la règle, et de la sphère qu'elle décrit — or celle-ci n'est pas du tout une sphère d'illusion ou de diversion, mais celle d'une autre logique, artificielle et initiatique, où s'abolissent les déterminations naturelles de la vie et de la mort. Telle est la spécificité du jeu, tel est son enjeu — et il serait vain de l'abolir dans une logique économique, qui renverrait à un investissement conscient, ou dans une logique du désir, qui renverrait à un enjeu inconscient. Conscient ou inconscient : cette double détermination vaut pour la sphère du sens et de la loi, elle ne vaut pas pour celle de la règle et du jeu.

La Loi décrit un système de sens et de valeur virtuellement universel. Elle vise une reconnaissance objective. Sur la base de cette transcendance qui la fonde, elle se constitue en instance de totalisation du réel : toutes les transgressions et les révolutions frayent la voie à l'universalisation de la loi... La Règle, elle, est immanente à un système restreint, limité, elle le décrit sans le transcender, et à l'intérieur de ce système elle est immuable. Elle ne vise pas l'universel et à proprement parler elle n'a même pas d'extériorité puisqu'elle n'instaure pas non plus de coupure interne. C'est la transcendance de la Loi qui fonde l'irréversibilité du sens et de la valeur. C'est l'immanence de la Règle, son arbitraire et sa circonscription qui entraînent, dans sa sphère propre, la réversibilité du sens et la réversion de la Loi.

Cette inscription de la règle dans une sphère sans au-delà (ce n'est plus un univers, puisqu'elle ne vise plus l'universel) est aussi difficile à comprendre que le concept d'un univers fini. Nulle limite n'est imaginable pour nous sans un au-delà : notre fini se découpe toujours sur un infini. Mais la sphère du jeu, elle, n'est ni finie ni infinie — transfinie peut-être. Elle a sa courbure propre, et elle résiste par cette courbure finie à l'infini de l'espace analytique. Réinventer une règle, c'est résister à l'infini linéaire de l'espace analytique pour retrouver un espace réversible — car la règle a sa révolution à elle, au sens propre : convection vers un point central et réversion du cycle (c'est ainsi que fonctionne la scène rituelle dans le cycle du monde), extérieur à toute logique de l'origine et de la fin, de la cause et de l'effet.

Fin des dimensions centrifuges : gravitation soudaine, intensive de l'espace, abolition du temps, celui-ci implosant dans l'instant et devenant d'une densité telle qu'il échappe aux lois de la physique traditionnelle — tout le déroulement prenant une courbure en spirale vers le centre où l'intensité est la plus forte. Telle est la fascination du jeu, la passion cristalline qui efface la trace et la mémoire, qui fait perdre le sens. Toute passion rejoint celle-ci dans sa forme, mais celle du jeu est la plus pure.

La meilleure analogie serait celle des cultures primitives qu'on a décrites comme closes sur elles-mêmes et sans imaginaire sur le reste du monde. C'est que justement le reste du monde n'existe que pour nous et que leur clôture, loin d'être restrictive, relève d'une logique différente que nous, pris dans l'imaginaire de l'universel, n'arrivons plus à concevoir, sinon péjorativement, comme horizon limité par rapport au nôtre.

La sphère symbolique de ces cultures ne connaît pas de reste. Or le jeu est aussi, à la différence du réel, ce dont il ne reste rien. Parce qu'il est sans histoire, sans mémoire, sans accumulation interne (l'enjeu s'y consume et s'y reverse sans cesse, c'est la règle secrète du jeu que rien ne s'y exporte sous forme de bénéfice ou de « plus-value »), la sphère interne du jeu est sans résidu. Mais on ne peut même pas dire qu'il reste quelque chose en dehors du jeu. Le « reste » suppose une équation non résolue, un destin non accompli, une soustraction ou un refoulement. Or *l'équation du jeu est toujours parfaitement résolue,* le destin du jeu accompli à chaque fois, sans laisser de traces (ce en quoi il diffère de l'inconscient).

La théorie de l'inconscient suppose que certains affects, scènes ou signifiants ne peuvent définitivement plus être mis en jeu — forclos, hors-jeu. Le jeu, lui, repose sur l'hypothèse que tout peut être mis en jeu. Sinon il faudrait admettre qu'on a toujours déjà perdu, et qu'on ne joue que parce qu'on a toujours déjà perdu. Or il n'y a pas d'objet perdu dans le jeu. Rien d'irréductible au jeu ne précède le jeu, en particulier pas une dette antérieure hypothétique. Si exorcisme il y a dans le jeu, ce n'est pas celui d'une dette contractée vis-à-vis de la loi, mais *exorcisme de la Loi elle-même comme d'un crime inexpiable*, exorcisme de la Loi comme discrimination, comme transcendance inexpiable dans le réel, et dont la transgression ne fait qu'ajouter crime sur crime, dette sur dette, deuil sur deuil.

La Loi fonde une égalité de droit : tous sont égaux devant elle. Par contre, il n'y a pas d'égalité devant la règle, puisque celle-ci n'est pas une juridiction de droit, et qu'il faut être séparés pour être égaux. Or les partenaires ne sont pas séparés, ils sont d'emblée institués dans une relation duelle et agonistique, jamais individualisés. Ils ne sont pas solidaires : la solidarité est déjà le symptôme d'une pensée *formelle* du social, l'idéal moral d'un groupe concurrentiel. Ils sont *liés* : la parité est une obligation qui n'a pas besoin de solidarité, sa règle l'enveloppe sans qu'elle ait besoin d'être réfléchie ni intériorisée.

La règle n'a besoin d'aucune structure ou superstructure formelle, morale ou psychologique, pour fonctionner. Justement parce qu'elle est arbitraire, infondée et sans références, elle n'a pas besoin de consensus, ni d'une volonté ou d'une vérité du groupe — elle existe, c'est tout, et elle n'existe que partagée, alors que la Loi flotte au-dessus des individus épars.

Cette logique pourrait fort bien s'illustrer de celle qu'énonce Goblot comme la règle culturelle de caste (mais qui est aussi celle de la classe bourgeoise selon lui), dans *La Barrière et le Niveau* :

1. Parité totale des partenaires dans le partage de la Règle : c'est le « niveau ».
2. Exclusive de la Règle, forclusion du reste du monde : c'est la « barrière ».

Exterritorialité dans sa sphère propre, réciprocité absolue dans les obligations et dans les privilèges : le jeu restitue cette logique à l'état pur. La relation agonistique entre pairs ne remet jamais en cause le statut réciproque privilégié des partenaires. Et ceux-ci peuvent bien arriver à une transaction nulle, tous les enjeux peuvent s'abolir, l'essentiel est de préserver l'enchantement réciproque, et l'arbitraire de la Règle qui le fonde.

C'est pourquoi la relation duelle exclut tout

travail, tout mérite et toute qualité personnelle (surtout dans la forme pure du jeu de hasard). Les traits personnels n'y sont admis que comme une sorte de grâce ou de séduction, sans équivalence psychologique. Ainsi va le jeu, c'est la transparence divine de la Règle qui le veut.

L'enchantement du jeu vient de cette délivrance de l'universel dans un espace fini — de cette délivrance de l'égalité dans la parité duelle immédiate — de cette délivrance de la liberté dans l'obligation — de cette délivrance de la Loi dans l'arbitraire de la Règle et du cérémonial.

En un sens, les hommes sont plus égaux devant le cérémonial que devant la Loi (d'où peut-être cette revendication de politesse, d'un conformisme cérémoniel dans les classes peu cultivées en particulier : on partage mieux les signes conventionnels que les signes « intelligents » et chargés de sens). Ils sont aussi plus libres dans le jeu que partout ailleurs, car ils n'ont pas à intérioriser la règle, ils ne lui doivent qu'une fidélité protocolaire, et ils sont dégagés de l'exigence de la transgresser, comme il en est de la loi. Avec la règle, nous sommes libres de la Loi. Délivrés de la contrainte de choix, de liberté, de responsabilité, de sens ! L'hypothèque terroriste du sens ne peut être levée qu'à force de signes arbitraires.

Mais ne nous y trompons pas : les signes conventionnels, les signes rituels sont des signes *obligés*. Aucun n'est libre de signifier isolément dans un rapport de cohérence avec le réel, dans un rapport de vérité. Cette liberté qu'ont prise les signes comme les individus modernes de s'articuler au gré de leurs affects et de leur désir (de sens) n'existe pas pour les signes conventionnels. Ils ne peuvent partir ainsi à l'aventure, lestés de leur propre référence, de leur parcelle de sens. Chaque signe est lié à l'autre, non dans la structure abstraite d'une langue, mais dans le déroulement insensé d'un cérémonial, tous se font l'écho et se redoublent dans d'autres signes aussi arbitraires.

Le signe rituel n'est pas un signe représentatif. Il ne mérite donc pas l'intelligence. Mais il nous délivre du sens. Et c'est pourquoi nous lui sommes particulièrement liés. Dettes de jeu, dettes d'honneur : tout ce qui touche au jeu est sacré parce que conventionnel.

Dans *Fragments d'un Discours Amoureux,* Barthes justifie son choix de l'ordre alphabétique : « Pour décourager la tentation du sens, il fallait trouver un ordre *absolument insignifiant* », c'est-à-dire ni un ordre concerté, ni même celui du hasard pur, mais un ordre parfaitement conventionnel. Car, dit Barthes citant un mathématicien, « il ne faut pas sous-estimer la capacité du hasard d'engendrer des monstres », c'est-à-dire des séquences logiques, c'est-à-dire du sens.

Autrement dit : la liberté totale, l'indétermination totale n'est pas ce qui s'oppose au sens. On peut produire du sens par le simple jeu du désordre et de l'aléatoire. De nouvelles diagonales de sens, de nouvelles séquences peuvent s'engendrer des flux désordonnés du désir : elles le font dans toutes les philosophies modernes, moléculaires et intensives, celles qui prétendent faire échec au sens par diffraction, branchements et mouvement brownien du désir — pas plus que du hasard il ne faut sous-estimer la capacité du désir d'engendrer des monstres (logiques).

On n'échappe pas au sens par la déliaison, par la déconnection, par la déterritorialisation. On y échappe en substituant aux effets de sens un simulacre plus radical, un ordre plus conventionnel encore — tel l'ordre alphabétique pour Barthes, telle la règle du jeu, telles les innombrables ritualisations de la vie quotidienne qui déjouent à la fois le désordre (le hasard) et l'ordre du sens (politique, historique, social) qu'on veut leur imposer.

L'indétermination, la déliaison, la prolifération en étoile ou en rhizome ne font que généraliser les effets de sens à toute la sphère du non-sens, que généraliser la forme pure du sens, celle d'une finalité sans fin et sans contenu. *Seul le rituel abolit le sens.*

C'est pourquoi il n'y a pas de « rituels de transgression ». Le terme est un contresens, singulièrement quand on l'applique à la fête, qui a posé tant de problèmes à nos révolutionnaires : la fête est-elle transgression, ou régénération de la Loi ? Absurde : le rituel, la liturgie rituelle de la fête n'est pas de l'ordre de la Loi ni de sa transgression, il est de l'ordre de la Règle.

Même contresens que pour la magie. Partout nous réinterprétons selon la loi ce qui relève de la règle. Ainsi nous voyons dans la magie une tentative de ruser avec la production et la loi du travail. Les sauvages auraient les mêmes fins « utiles », mais voudraient faire l'économie de l'effort rationnel pour y parvenir. Or ce n'est pas cela du tout : la magie est un rituel visant à maintenir un jeu d'enchaînement analogique du monde, un enchaînement cyclique de toutes choses liées par leurs signes — c'est une immense règle du jeu qui domine la magie, et le problème fondamental est, par l'opération du rituel, de faire que toutes choses continuent de jouer ainsi, par contiguïté analogique, par séduction de proche en proche. Rien à voir avec l'enchaînement linéaire des causes et des effets. Celui-ci, qui est le nôtre, est un enchaînement *objectif*, mais déréglé : il a brisé la règle.

La magie n'est même pas de l'ordre de la ruse vis-à-vis de la loi, elle ne triche pas. Elle est ailleurs. C'est pourquoi il est aussi absurde d'en juger selon ce critère qu'il le serait de contester l'arbitraire des règles d'un jeu en fonction des données « objectives » de la nature.

C'est le même contresens platement objectif qui est fait sur les jeux d'argent. L'objectif du jeu serait économique : celui de gagner sans effort. Même façon de brûler les étapes que la magie. Même transgression du principe d'équivalence et de travail qui régit le monde « réel ». La vérité du jeu serait donc à chercher dans le monde réel et dans les ruses de la valeur.

C'est oublier la puissance de séduction du jeu. Non seulement celle qui vous emporte dans le moment, mais la puissance de transmutation des valeurs qui est liée à la règle. L'argent du jeu est lui aussi détourné de sa vérité, *séduit* : coupé de la loi des équivalences (il « flambe »), mais aussi de la loi de la représentation : l'argent n'est plus signe représentatif, puisqu'il est transfiguré en enjeu. Or l'enjeu n'a rien à voir avec un investissement. Dans celui-ci, l'argent garde la forme du capital — dans l'enjeu il prend la forme du défi. La « mise » n'a rien à voir avec un placement, pas plus que l'investissement sexuel avec l'enjeu de séduction.

Investissements, contre-investissements : c'est l'économie psychique des pulsions et du sexe. Jeu, enjeu et défi, ce sont les figures de la passion et de la séduction. Plus généralement : tout matériel d'argent, de langage, de sexe, d'affect, change complètement de sens selon qu'il est mobilisé dans l'investissement ou réversibilisé dans l'enjeu. Les deux figures sont irréductibles.

Si le jeu avait quelque finalité que ce soit, le seul vrai joueur serait le tricheur. Or, s'il y a quelque prestige dans le fait de transgresser la loi, il n'y en a aucun dans le fait de tricher, de transgresser la règle. D'ailleurs, le tricheur ne transgresse pas puisque, le jeu n'étant pas un système d'interdits, il n'y a pas de ligne à franchir. La règle ne peut être « transgressée », elle ne peut qu'être inobservée. Mais l'inobservance de la règle ne vous met pas en état de transgression, elle vous fait simplement retomber sous le coup de la loi.

C'est le cas du tricheur qui, profanant le rituel, niant la convention cérémoniale du jeu, restitue une finalité économique (ou psychologique, s'il triche pour le plaisir de gagner), c'est-à-dire la loi du monde réel. Il détruit l'enchantement duel du jeu par l'irruption d'une détermination individuelle. S'il fut en son temps puni de mort et s'il reste durement réprouvé, c'est que son crime est en effet de l'ordre de l'inceste : briser les règles du jeu culturel au seul profit de la « loi de nature ».

Pour le tricheur, il n'est même plus d'enjeu. Il confond l'enjeu avec le processus de la plus-value. Or, l'enjeu est d'abord ce qui permet de jouer, c'est une malversation que d'en faire la finalité du jeu. De la même façon, la règle n'est elle aussi que la possibilité même de jouer, l'espace duel des partenaires. Celui qui la viserait comme fin (comme loi, comme vérité) détruirait également le jeu et l'enjeu. La règle n'a pas d'autonomie, cette qualité éminente, selon Marx, de la marchandise et de l'individu marchand, cette sacro-sainte valeur du règne économique. Le tricheur, lui, est *autonome* : il a retrouvé la loi, sa propre loi, contre le rituel arbitraire de la règle — et c'est ce qui le disqualifie. Le tricheur est libre, et c'est sa déchéance. Le tricheur est vulgaire, parce qu'il ne s'expose plus à la séduction du jeu, parce qu'il se refuse au vertige de la séduction. On peut d'ailleurs faire l'hypothèse que le profit n'est encore qu'un alibi : en réalité il triche *pour échapper* à la séduction, il triche par peur d'être séduit.

Le défi du jeu est tout autre chose, et le jeu en est toujours un — pas seulement autour d'une table. Témoin l'histoire de cet Américain qui fit passer une petite annonce dans un journal : « Envoyez-moi un dollar ! », et qui reçut plusieurs dizaines de milliers de dollars. Il ne promettait rien à personne, ce n'était donc même pas une escroquerie. Il ne disait pas : « J'ai besoin d'un dollar » — personne ne lui eût jamais donné un dollar dans ces conditions-là. Il laissait flotter quelque part la chance subtile d'un échange miraculeux. *Quelque chose de plus qu'une équivalence.* Une surenchère. Il les défiait.

Dans quelle tractation sublime s'engageaient-ils au lieu d'aller s'acheter un dollar d'ice-cream ? Ils n'ont certainement jamais cru qu'ils allaient recevoir dix mille dollars par retour du courrier — en réalité, ils relèvent le défi à leur façon, et qui vaut bien l'autre, car ce qui leur est offert, c'est une fourchette magique dans laquelle on gagne à tous les coups :

> « On ne sait jamais, ça peut toujours marcher (dix mille dollars par retour du courrier), et, dans ce cas, c'est le signe de la faveur des Dieux » (lesquels ? ceux qui ont fait passer l'annonce).
>
> « Si ça ne marche pas, c'est que l'instance obscure qui m'a fait signe n'a pas relevé le défi. Tant pis pour elle. J'ai gagné psychologiquement contre les Dieux. »

Double défi : celui de l'escroc au gogo, mais aussi celui du jobard au destin. Si le destin l'accable, il est quitte. La culpabilité est toujours à l'affût de l'exorcisme, on peut toujours compter sur elle — mais ce n'est pas tellement une question de culpabilité : l'envoi absurde du dollar en réponse au défi absurde de l'annonce, c'est la réponse sacrificielle par excellence. Elle se résume à : « Il n'est pas possible qu'il n'y ait rien derrière. Je somme les Dieux de répondre ou de n'être rien » — ce qui fait toujours plaisir.

Enjeu et défi, sommation et surenchère — il n'est pas question de croyance dans tout cela. D'ailleurs personne ne « croit » jamais à rien. La question n'est jamais de croire ou de ne pas croire, pas plus que pour le Père Noël. C'est un concept absurde, du même type que la motivation, le besoin, l'instinct, voire la pulsion et le désir, et Dieu sait lesquels encore — tautologies faciles qui nous cachent qu'il n'y a jamais de « fond psychologique » de croyance à nos pratiques, mais des enjeux, des défis — jamais de calcul spéculatif sur l'existence (sur celle de l'homme au dollar par exemple, ou celle de Dieu), mais une provocation incessante, un jeu. On ne croit pas en Dieu, on ne « croit » pas au hasard, sinon dans le discours banalisé de la religion ou de la psychologie. On les défie, ils vous défient, on joue avec eux, et pour cela on n'a pas besoin d'y « croire », *il ne faut pas y croire.*

Ainsi en est-il de la foi dans l'ordre religieux comme de la séduction dans le défi amoureux. La croyance vise *l'existence de Dieu* — or, l'existence n'est jamais qu'un statut pauvre et résiduel, c'est ce qui reste quand on a tout enlevé — la foi, elle, est *un défi à l'existence de Dieu,* un défi à Dieu d'exister, et de mourir en retour. Par la foi, Dieu est *séduit,* et il ne peut pas ne pas répondre, car la séduction, comme le défi, est forme réversible. Il y répond par la grâce, qui est la réversion au centuple de Dieu en réponse au défi de la foi. Le tout forme un système d'obligations, comme dans les échanges rituels, et Dieu est toujours lié, il est forcé de répondre *alors qu'il n'est jamais forcé d'exister.* La croyance se contente de lui demander d'exister et de cautionner l'existence du monde : forme désenchantée, contractuelle — la foi fait de Dieu un enjeu : défi de Dieu à l'homme d'exister (et on peut répondre par la mort à ce défi-là) — défi de l'homme à Dieu de répondre à son sacrifice, c'est-à-dire de s'abolir en retour.

Toujours il est visé quelque chose de plus qu'une équivalence, qu'un contrat d'existence — et c'est ce quelque chose en plus, cette démesure du défi par rapport au contrat, cette surenchère par rapport à l'équivalence des causes et des effets, c'est cela qui est proprement l'effet de séduction — celle du jeu, celle de la magie. Si nous en avons l'expérience vivante dans la séduction amoureuse, pourquoi n'en serait-il pas de même dans les rapports avec le monde ? L'efficacité symbolique n'est pas un vain mot. Elle ne fait que refléter l'existence d'un autre mode de circulation des biens et des signes, bien supérieur en efficacité et en puissance au mode de circulation économique. La fascination du gain miraculeux au jeu n'est pas celle de l'argent : c'est celle d'avoir renoué, au-delà de la loi des équivalences, au-delà de la loi contractuelle de l'échange, avec cet autre circuit symbolique d'une surenchère immédiate et démesurée, qui est celui de *la séduction de l'ordre des choses*.

Au fond, rien ne s'oppose à ce que les choses puissent être séduites comme les êtres — il suffit de trouver la règle du jeu.

C'est tout le problème du hasard. Le pari de la magie est le même que celui de nos jeux de hasard. L'enjeu est cette parcelle de valeur jetée à la face du hasard pris comme instance transcendante, mais pas du tout pour se concilier ses faveurs : pour le débouter de sa transcendance, de son abstraction, pour en faire un partenaire, un adversaire. L'enjeu est une sommation, le jeu est un duel : le hasard est sommé de répondre, il est lié par le pari du joueur — ou se déclarer favorable ou hostile. Le hasard n'est jamais neutre, le jeu le transforme en joueur et en figure agonistique.

Autant dire que l'hypothèse fondamentale du jeu, c'est que *le hasard n'existe pas*.

Le hasard dans notre sens de dispositif aléatoire, de probabilité pure soumise à la *loi* des probabilités (et non à la *règle* du jeu), ce hasard moderne de conception rationnelle : sorte de Grand Neutre Aléatoire (G.N.A.), résumé d'un univers flottant dominé par l'abstraction statistique, divinité dédivinisée, déliée et désenchantée — ce hasard-là n'existe pas du tout dans la sphère du jeu. Le jeu est précisément là pour le conjurer. Le jeu de hasard nie toute distribution aléatoire du monde, il veut forcer cet ordre neutre et recréer au contraire des obligations, un ordre rituel d'obligations qui fasse échec au monde libre et équivalent. C'est en quoi le jeu s'oppose radicalement à la Loi et à l'économie. Il remet toujours en cause la *réalité* du hasard comme loi objective et lui substitue un univers lié, préférentiel, duel, agonistique et non aléatoire — un univers de charme au sens fort du mot, un univers de séduction.

D'où les manipulations superstitieuses qui entourent le jeu, où beaucoup (Caillois) ne voient que des pratiques dégradées. La magique des joueurs, de ceux qui jouent leur date de naissance jusqu'au repérage des séries (le onze est sorti onze fois de suite à Monte-Carlo), des martingales les plus subtiles à la queue du lapin dans la poche de veston, tout cela se nourrit de l'idée profonde que le hasard n'existe pas, que le monde est pris dans des réseaux de relations symboliques — non pas des connexions aléatoires, mais des réseaux d'obligation, des réseaux de séduction. Il suffit de faire jouer les mécanismes.

Le joueur se défend à tout prix contre un univers neutre, dont fait partie le hasard objectif. Le joueur prétend que tout est séductible, les chiffres, les lettres, la loi qui règle leur ordonnance — *il veut séduire la Loi elle-même*. Le moindre signe, le moindre geste a un sens, ce qui ne veut pas dire un enchaînement rationnel, mais que tout signe est vulnérable à d'autres signes, que tout signe peut être séduit par d'autres signes, que le monde est fait d'enchaînements inexorables qui ne sont pas ceux de la Loi.

C'est ça l' « immoralité » du jeu, qui est souvent rapportée au fait de vouloir gagner trop tout de suite. Mais c'est lui faire trop d'honneur. Le jeu est bien plus immoral que ça. Il est immoral parce qu'il substitue un ordre de la séduction à un ordre de la production.

Si le jeu est cette *entreprise de séduction du hasard*, s'attachant à des enchaînements obligés de signe à signe qui ne sont pas ceux de cause à effet ; mais non plus ceux, aléatoires, de série à série, si le jeu tend à abolir la neutralité objective du hasard et sa « liberté » statistique en la captant sous forme de duel, de défi et de surenchère réglée, il y a un contresens à imaginer, comme le fait Deleuze dans la *Logique du Sens*, un « jeu idéal » qui consisterait dans le déchaînement du hasard, dans un surcroît d'indétermination qui laisserait place au jeu simultané de toutes les séries, et donc à l'expression radicale du devenir et du désir.

La probabilité nulle ou infime que deux chaînes se rencontrent jamais abolit le jeu (si aucune chaîne n'en rencontre jamais d'autre, il n'y a même pas de hasard). Mais l'éventualité d'un croisement indéfini de chaînes à n'importe quel moment ne l'abolit pas moins. Car le jeu ne se conçoit que du croisement de deux ou plusieurs chaînes dans un espace-temps circonscrit par la règle — le hasard même ne se produit qu'à la condition de cette règle, qui n'est pas du tout une restriction de liberté par rapport à un hasard « total », mais le mode même d'apparition du jeu.

Il n'y a pas d'autant plus de jeu qu'il y a « plus » de hasard. C'est concevoir l'un et l'autre comme une sorte de « liberté » d'enchaînement, de dérive immanente, de déliaison incessante des ordres et des séquences, d'improvisation déréglée du désir — sorte de *daimôn* ou de malin génie qui soufflerait à tous les vents — réinsufflant un peu de hasard, un surcroît de devenir s'opposant à l'économie réglée du monde.

Or ceci est absurde : il n'y a pas plus ou moins de devenir. Pas de dose ni d'overdose. Ou le monde est pris dans le cycle du devenir, et il l'est à chaque instant, ou il ne l'est pas. De toute façon, il n'y a aucun sens à « prendre le parti » du devenir, pas plus que celui du hasard, ou celui du désir, s'il existe : il n'y a pas de choix. « Prendre le parti des processus primaires est encore un effet des processus secondaires » (Lyotard).

L'idée même d'une accélération, d'une intensification, du renforcement du jeu et du hasard comme de la teneur d'acide dans une solution chimique, l'idée d'une croissance exponentielle du devenir équivaut à en faire une sorte de fonction énergétique, issue tout droit de la confusion avec la notion de désir. Mais le hasard n'est pas cela — peut-être même faut-il admettre, comme le postule secrètement le joueur, qu'il n'existe pas du tout. Au fond, bien des cultures n'en ont ni le terme ni le concept, parce qu'il n'y a nulle part d'aléa pour elles, et que rien ne s'y calcule, *pas même en probabilités*. Seule notre culture a inventé cette possibilité de réponse statistique, inorganique, objective, de *réponse morte* et flottante, d'indétermination et d'errance objective des phénomènes. Lorsqu'on y réfléchit bien, cette hypothèse de l'occurrence aléatoire d'un univers dénué d'obligations, expurgé de toute règle formelle et symbolique, cette hypothèse d'un *désordre objectif* et moléculaire des choses — la même qui se trouve idéalisée et exaltée dans la vision moléculaire du désir — est folle. Elle est à peine moins démente que celle d'un *ordre objectif* des choses, d'un enchaînement des causes et des effets qui fit les beaux jours de notre entendement classique, et dont elle découle d'ailleurs selon la logique des résidus.

Le hasard est né comme résidu d'un ordre logique de la détermination. Même hypostasié comme variable révolutionnaire, il n'en reste pas moins la figure spéculaire du principe de causalité. Sa généralisation, sa « libération » inconditionnelle comme dans le jeu idéal de Deleuze fait partie de cette économie politique et mystique des résidus partout à l'œuvre aujourd'hui — inversion de structure des termes faibles en termes forts : le hasard jadis obscène et insignifiant sera ressuscité dans son insignifiance et redeviendra le mot d'ordre d'une économie nomade du désir.

Le jeu n'est pas un devenir, il n'est pas de l'ordre du désir, et il n'est pas nomade. Il se qualifie, même lorsqu'il est de hasard, de pouvoir reproduire telle constellation arbitraire, dans les mêmes termes, un nombre indéfini de fois. Cyclique et récurrent : telle est sa forme propre. C'est en cela que lui, et lui seul, met définitivement fin à la causalité et à son principe — non par irruption d'un ordre aléatoire des séries qui ne constitue encore qu'un éclatement de la causalité, sa démultiplication en fragments épars, et non son dépassement — mais par la virtualité de retour (éternel si on veut) d'une situation conventionnelle et réglée.

Non l'échéance d'un désir et de sa « liberté », non l'échéance d'un devenir naturel (le jeu héraclitéen du monde ou le jeu enfantin), mais l'éternel retour d'une forme rituelle, et voulue comme telle. Chaque séquence de jeu nous délivre ainsi de la linéarité de la vie et de la mort.

Il y a deux figures de l'éternel retour. Celle, statistique et neutre, plate et objective, qui veut que dans un système fini les combinaisons, même innombrables, ne soient pas infinies et que la probabilité ramène un jour, selon un gigantesque cycle, les mêmes séries dans le même ordre. Maigre métaphysique : c'est l'éternel retour du *naturel,* et selon une causalité statistique naturelle. L'autre vision est tragique et rituelle : elle est la récurrence voulue, comme dans le jeu, d'une configuration arbitraire, non causale, de signes dont chacun veut le suivant, inexorablement, comme dans un déroulement cérémoniel. C'est l'éternel retour d'une règle — c'est-à-dire d'une succession obligée de coups et de paris — dont il est indifférent qu'elle soit la règle du jeu de l'univers lui-même : aucune métaphysique ne se profile plus à l'horizon du cycle indéfiniment réversible du jeu, surtout pas celle du désir, qui relève encore de l'ordre naturel du monde, ou de son désordre naturel.

Le désir est certainement la *Loi* de l'univers, mais l'éternel retour en est la *règle*. Heureusement pour nous, car sinon, où serait le plaisir de jouer ?

Le vertige idéal est celui du coup de dés qui finit par « abolir le hasard », lorsque, contre toute probabilité, le zéro sort plusieurs fois de suite par exemple. Extase du hasard enrayé, captif d'une série définitive, c'est le phantasme idéal du jeu : voir, sous le coup du défi, se répéter le même coup, et du coup s'abolir le hasard et la loi. C'est dans l'attente de cette surenchère symbolique, c'est-à-dire d'un événement *qui mette fin au processus aléatoire sans retomber sous le coup d'une loi objective*, que tout le monde joue. Chaque coup singulier ne cause qu'un médiocre vertige, mais c'est quand le destin surenchérit — ce qui est le signe qu'il se prend vraiment au jeu — lorsqu'il semble lui-même lancer un défi à l'ordre naturel des choses et entrer dans un délire ou dans un vertige rituel, c'est alors que la passion se déchaîne et qu'une fascination véritablement mortelle s'empare des esprits.

Il n'y a rien d'imaginaire dans tout cela, mais une

nécessité impérieuse de mettre fin au jeu naturel des différences ainsi qu'au devenir historique de la loi. Nul moment plus grand que celui-ci. Aux enchères naturelles du désir il n'est de réponse que la surenchère rituelle du jeu et de la séduction — aux enchères contractuelles de la loi il n'est de réponse que la surenchère et le vertige formel de la règle. Passion cristalline, passion sans égale.

Le jeu n'est pas de l'ordre du phantasme, et sa récurrence n'est pas la répétition du phantasme. Celle-ci procède d'une « autre » scène, et c'est une figure de mort. La récurrence du jeu procède d'une règle, et c'est une figure de séduction et de plaisir. Affect ou représentation, toute figure répétitive de sens est une figure de mort. Seule la récurrence insensée déchaîne le plaisir, celle qui ne procède ni d'un ordre conscient, ni d'un désordre inconscient, mais qui est réversion et réitération d'une forme pure, prenant forme de surenchère et de défi à la loi des contenus et de leur accumulation.

La récurrence du jeu procède alors directement du destin, et elle est là comme destin. Non pas comme pulsion de mort ou baisse tendancielle du taux de différence, jusqu'aux crépuscules entropiques des systèmes de sens, mais une forme d'incantation rituelle, de cérémonial où les signes exerçant une sorte d'attraction violente les uns sur les autres ne laissent plus place au sens, et ne peuvent que se redoubler. Vertige de *séduction* là aussi, d'absorption dans un destin récurrent : toutes les sociétés autres que la nôtre connaissaient ce théâtre du rituel, qui est aussi celui de la cruauté. Le jeu retrouve quelque chose de cette cruauté. Auprès de lui tout le réel est sentimental. La vérité, la Loi même est sentimentale au regard des formes pures de la répétition.

De même que ce qui s'oppose à la loi n'est pas la liberté, mais la règle, ainsi *ce qui s'oppose à la causalité n'est pas l'indétermination, mais l'obligation* — ni un enchaînement linéaire, ni un dé-chaînement, qui n'est que le romantisme d'une causalité détraquée, mais un *enchaînement réversible*, qui, de signe en signe qu'il décrit inexorablement accomplit son cycle, tels les bracelets et les coquillages de l'échange polynésien, faisant l'ellipse de son origine et l'économie de sa fin. Le cycle des obligations n'est pas un code. Nous avons confondu l'obligation au sens fort, rituel, immémorial qu'elle a dans le cycle des hommes et des choses, avec la contrainte banalisée des lois et des codes qui nous régissent sous le signe inverse de la liberté.

Dans le hasard pur et nomade de Deleuze, dans son « jeu idéal », il n'y a que déliaison et causalité éclatée. Mais c'est par un abus de concept qu'on peut dissocier le jeu de sa règle pour en radicaliser la forme utopique. C'est par le même excès, ou la même facilité, qu'on peut dissocier le hasard de ce qui le définit : un calcul objectif de séries et de probabilités pour en faire le leitmotiv d'une indétermination idéale, d'un désir idéal fait de l'occurrence sans fin de séries incalculables. Pourquoi d'ailleurs encore des séries ? Pourquoi pas le mouvement brownien pur ? Or, celui-ci, qui est devenu comme le modèle physique du désir radical, ce mouvement a ses lois, et ce n'est pas un jeu.

Extrapoler le hasard tous azimuts, sous forme de « jeu idéal », sans généraliser en même temps la règle du jeu, c'est un peu le même phantasme que de radicaliser le désir en l'expurgeant de tout manque et de toute loi. Idéalisme objectif du « jeu idéal », idéalisme subjectif du désir.

Le jeu est un système sans contradiction, sans négativité interne. C'est pourquoi on ne saurait en rire. Et s'il ne peut être parodié, c'est que toute son organisation est parodique. La règle joue comme simulacre parodique de la loi. Ni inversion, ni subversion, mais réversion de la loi dans la simulation. Le plaisir du jeu est double : annulation du temps et de l'espace, sphère enchantée d'une forme indestructible de réciprocité — séduction pure — et parodie du réel, surenchère formelle des contraintes de la loi.

Y a-t-il plus belle parodie de l'éthique de la valeur que de se soumettre avec toute l'intransigeance de la vertu aux données du hasard ou à l'absurdité d'une règle ? Y a-t-il plus belle parodie des valeurs de travail, de production, d'économie et de calcul que la notion de pari et de défi, que l'immoralité de l'inéquivalence fantastique entre l'enjeu et le gain possible (ou la perte, qui est aussi immorale) ? Y a-t-il plus belle parodie de toute notion de contrat et d'échange que cette complicité magique, cette entreprise de séduction agonistique du hasard et des partenaires, cette forme d'obligation duelle dans le rapport à la règle ? Y a-t-il plus beau déni de toutes nos valeurs morales et sociales de volonté, de responsabilité, d'égalité et de justice que cette exaltation du faste et du néfaste, que cette exultation de jouer à égalité avec un destin injustifié ? Y a-t-il plus belle parodie de nos idéologies de liberté que cette passion de la règle ?

Y a-t-il plus belle parodie de la socialité elle-même que cette fable de Borgès, *La Loterie à Babylone*, dans sa logique inéluctable de prédestination et de simulation du social par le jeu ?

« J'appartiens à un pays vertigineux où la loterie est une part essentielle du réel », tel commence le récit d'une société où la loterie a dévoré toutes les autres institutions. Ce n'est au début qu'un jeu de caractère plébéien, et on ne fait qu'y gagner : elle est donc ennuyeuse, puisqu' « elle ne s'adresse pas à l'ensemble des facultés de l'homme, mais seulement à l'espoir ». On tente alors une réforme : on intercale un petit nombre de chances adverses dans la liste des nombres favorables — on peut être obligé par le sort à payer une amende considérable. C'est là une modification radicale : elle efface l'illusion de la finalité économique du jeu. Désormais on entre dans le jeu pur, et le vertige qui s'empare de la société babylonienne ne connaît plus de limites. Tout peut vous échoir par le tirage au sort, la loterie devient secrète, gratuite et générale, tout homme libre participe automatiquement aux tirages sacrés qui s'effectuent toutes les soixante nuits et disposent de son destin jusqu'au prochain exercice. Un coup heureux peut faire de lui un homme riche ou un mage, ou lui faire obtenir la femme qu'il désire, un coup malheureux peut appeler sur lui la mutilation ou la mort.

Bref, l'interpolation du hasard dans tous les interstices de l'ordre social et de l'ordre du monde. Toutes les erreurs de loterie sont bonnes, puisqu'elles ne font qu'intensifier cette logique. Les impostures, les ruses, les manipulations peuvent parfaitement s'intégrer dans un système aléatoire : qui dira si elles sont « réelles », c'est-à-dire venues d'un enchaînement naturel et rationnel, ou si elles ne procèdent pas de l'instance aléatoire de la loterie ? Nul ne le saura plus jamais. La prédestination a tout recouvert, l'*effet de loterie* est universel, la Loterie et la Compagnie peuvent bien cesser d'exister, leur efficacité silencieuse s'exerce sur un champ de *simulation totale* : tout le « réel » est entré vivant dans les décisions secrètes de la Compagnie, et il n'y a plus aucune différence probable entre le réel réel et le réel aléatoire.

A la limite, la Compagnie pourrait n'avoir jamais existé, l'ordre du monde n'en eût pas été changé. Mais son hypothèse, elle, a tout changé. Elle a suffi à changer tout le réel, tel qu'il est, tel qu'il n'eût jamais été autrement, en un immense simulacre. Le réel tel qu'en lui-même la simulation le change n'est rien d'autre que le réel.

Pour nous et nos sociétés « réalistes », la Compagnie a déjà cessé d'exister, et c'est sur les ruines et l'oubli de cette simulation totale possible, de cette spirale entière de la simulation *qui a précédé le réel* et dont nous n'avons plus conscience — c'est là notre véritable inconscient : la méconnaissance de la simulation et de l'indétermination vertigineuse qui règle le désordre sacré de nos vies — non pas le refoulement de quelques affects ou de quelques représentations qui est notre vision banalisée de l'inconscient, mais l'aveuglement sur le Grand Jeu, sur le fait que tous les événements « réels », tous nos destins « réels » sont déjà passés non pas par une vie antérieure (encore que cette hypothèse est à elle-même plus belle et plus riche que toute notre métaphysique des causes objectives), mais par un cycle d'indétermination, par le cycle d'un jeu réglé et arbitraire à la fois, dont la Loterie de Borgès est l'incarnation symbolique, qui les a amenés à cette hallucinante ressemblance à eux-mêmes que nous prenons pour leur vérité. Cette logique-là nous échappe et c'est sur l'inconscience de la simulation que se fonde notre conscience du réel.

Souvenons-nous de la Loterie à Babylone. Qu'elle existe ou non, le voile d'indétermination qu'elle jette sur nos vies est définitif. Ses décrets arbitraires règlent les moindres détails de notre existence, n'osons pas dire comme une infrastructure cachée, car la vocation de celle-ci est d'apparaître un jour comme vérité, alors qu'il s'agit ici d'un destin, c'est-à-dire d'un jeu toujours déjà réalisé et à jamais illisible.

L'originalité de Borgès est d'élargir ce jeu à tout l'ordre social. Là où nous ne voyons dans le jeu qu'une superstructure de peu de poids en regard de la bonne et solide infrastructure des rapports sociaux, lui renverse tout l'édifice et fait de l'indétermination l'instance déterminante. Ce n'est plus la raison économique, celle du travail et de l'histoire, ce n'est plus le déterminisme « scientifique » des échanges qui détermine la structure sociale et le sort des individus, mais un indéterminisme total, celui du Jeu et du Hasard. La prédestination y coïncide avec une mobilité absolue, un système arbitraire avec la démocratie la plus radicale (échange instantané de tous les destins : de quoi satisfaire la soif de polyvalence de notre temps).

Formidable ironie de ce renversement par rapport à tout contrat, à toute fondation rationnelle du social. Le pacte sur la règle, sur l'arbitraire de la règle (la Loterie) élimine le social tel que nous l'entendons, tout comme le rituel met fin à la loi. Il n'en a jamais été autrement des sociétés secrètes, dans l'efflorescence desquelles il faut voir une résistance au social.

La nostalgie d'une socialité pactuelle, rituelle, aléatoire, la nostalgie d'être délivrés du contrat et du rapport social, la nostalgie d'un destin plus cruel, mais plus fascinant, de l'échange, est plus profonde que l'exigence rationnelle du social dont on nous a bercés. La fable de Borgès n'est peut-être pas une fiction, mais une description proche de nos rêves antérieurs, c'est-à-dire aussi de notre futur.

A Byzance, c'étaient les courses de chevaux qui réglaient la vie sociale, l'ordre politique, les hiérarchies et les dépenses. Ici, c'est le tiercé, qui en est un pâle reflet à travers le miroir de la démocratie. La masse énorme d'argent qui y circule, qui s'échange à travers les paris n'est rien en regard de l'extravagance des Byzantins liant aux compétitions hippiques l'ensemble de la vie publique. Mais c'est encore un symptôme du jeu comme rôle d'activités sociales multiples et de circulation intense des biens et des rangs. Au Brésil, c'est le Jogo de Bicho : jeux, paris, loteries se sont emparés là de catégories entières, qui y jouent tout leur revenu et leur statut. On peut alléguer du jeu comme d'une diversion au sous-développement, mais jusque dans sa version moderne et misérable, il est un écho des cultures où le ludique et le somptuaire furent générateurs de la structure et des modalités essentielles de l'échange — c'est-à-dire d'un schéma exactement inverse du nôtre, et singulièrement du schéma marxiste. Sous-développés ? Seuls les privilégiés du contrat social, du rapport social, peuvent ainsi, du haut de leur statut qui n'est pourtant lui aussi qu'un simulacre, d'ailleurs inéchangeable en valeur de destin, juger misérables les pratiques aléatoires qui sont d'un ordre bien supérieur au leur. Car autant qu'un défi au hasard, elles sont un défi au social, et l'indice de la nostalgie d'un ordre plus aventureux du monde et d'un jeu plus aventureux de la valeur.

LE DUEL, LE POLAIRE ET LE DIGITAL

La loterie est simulacre — rien de plus artificiel que de régler le cours des choses sur le décret aberrant du hasard. Mais n'oublions pas que c'est ce que fit l'antiquité avec l'art de la divination par les viscères de poulet ou le vol des oiseaux, et n'est-ce pas ce que continue de faire, sur de moindres fondements, l'art moderne de l'interprétation ? Tout cela est simulacre, mais la différence est que chez Borgès la règle du jeu se substitue totalement à la loi, que le jeu y redevient destin, alors que dans nos sociétés le jeu n'est que diversion frivole et marginale.

En regard de la fiction grandiose de Borgès, d'une société fondée sur le décret aléatoire et sur une sorte de prédestination par le jeu, en regard d'un tel ordre de la cruauté où l'enjeu est perpétuel et le risque absolu, nous sommes dans une société d'enjeu et de risque minimal. Si les termes n'étaient contradictoires, il faudrait dire que c'est la sécurité qui est devenue notre destin — il se peut d'ailleurs que l'issue en soit mortelle pour la société entière — fatalité des espèces trop protégées, qui meurent de sécurité dans la domestication.

Or si les Babyloniens succombèrent au vertige de la loterie, c'est que quelque chose les y séduisait profondément, c'est qu'ils y défiaient tout ce qui mérite de l'être : leur propre existence, leur propre mort. Alors que notre social à nous est sans séduction — qu'y a-t-il de moins séduisant que l'idée même du social ? Degré zéro de la séduction. Dieu même n'était jamais tombé si bas.

En regard de l'enjeu de séduction et de mort qui hante l'univers du jeu et de la ritualité, notre socialité et le mode de communication et d'échange qu'elle instaure apparaît extrêmement pauvre et banalisée, abstraite et appauvrie au fur et à mesure qu'elle se sécularisait sous le signe de la Loi.

Mais ceci n'est encore qu'un état intermédiaire, car l'âge même de la Loi est passé, et avec lui celui du socius et de la puissance du contrat social. Non seulement nous ne vivons plus à l'ère de la règle et du rituel, mais nous ne vivons même plus à l'ère de la Loi et du contractuel. Nous vivons dans la Norme et les Modèles, et nous n'avons même plus de terme pour désigner ce qui est en train de succéder pour nous à la socialité et au social.

la RÈGLE	la LOI	la NORME
Ritualité	Socialité	????????

Nous vivons dès maintenant sur un minimum de socialité rélle et un maximum de simulation. La simulation engendre la neutralisation des pôles qui ordonnaient l'espace perspectif du réel et de la Loi, l'évanouissement de l'énergie potentielle qui impulsait encore l'espace de la Loi et du social. L'ère des modèles, c'est la dissuasion des stratégies antagonistes qui faisaient du social et de la Loi un enjeu — y compris dans sa transgression. Plus de transgression, plus de transcendance — mais nous ne sommes plus pour autant dans l'immanence tragique de la règle et du jeu, nous sommes dans l'immanence cool de la norme et des modèles. Régulation, dissuasion, feed-back, enchaînements d'éléments tactiques dans un espace sans référence, etc., mais surtout : à l'ère des modèles, la digitalité du signal a remplacé la polarité du signe.

DUALITÉ POLARITÉ DIGITALITÉ

Les trois logiques sont exclusives l'une de l'autre :

— la *relation duelle* est celle qui domine le jeu, le rituel et toute la sphère de la règle ;

— la *relation polaire*, ou dialectique, ou contradictoire, est celle qui ordonne l'univers de la Loi, du social et du sens ;

— la *relation digitale* (mais ce n'est plus une « relation » — disons la connexion digitale) est celle qui distribue l'espace de la Norme et des Modèles.

C'est dans le jeu croisé de ces trois logiques qu'il faut replacer les péripéties de la notion de séduction, de son acception radicale (duelle, rituelle, agonistique, avec un enjeu maximal) à son acception molle, la séduction d' « ambiance », érotisation ludique d'un univers sans enjeux.

LE LUDIQUE ET LA SÉDUCTION FROIDE

Car nous vivons de la séduction
mais nous mourrons dans la fascination.

Le jeu des modèles, leur combinatoire mobile caractérisent un univers ludique, où tout prend effet de simulation possible, et où tout peut jouer, à défaut de Dieu pour reconnaître les siens, comme évidence alternative. Les valeurs de subversion y jouent en alternance, la violence et la critique s'y modellisent elles aussi. Nous sommes dans un univers souple et courbe, où il n'y a plus de lignes de fuite. Jadis la cohérence d'un objet et de son usage, d'une fonction et d'une institution, de toutes choses et de leur détermination objective définissait un principe de réalité — aujourd'hui c'est la conjonction d'un désir et d'un modèle (d'une demande et de son anticipation par des réponses simulées) qui définit un principe de plaisir.

Le ludique, c'est le « jeu » de cette demande et du modèle. La demande n'étant que réponse à la sollicitation du modèle, et la précession des modèles absolue, tout défi y est impossible. C'est bien la stratégie des jeux qui règle la généralité de nos échanges : se définissant par la possibilité de prévoir tous les coups de l'adversaire et de les dissuader par anticipation, elle rend tout enjeu impossible. C'est elle qui donne son caractère ludique à un monde paradoxalement sans enjeux.

La « Werbung », la sollicitation publicitaire, celle des sondages et de tous les modèles médiatiques ou politiques, qui ne se proposent plus comme créance, mais comme crédibilité : ils ne prétendent plus être investis, mais sélectivement disponibles dans une gamme — y compris le loisir, qui joue avec le travail comme une deuxième chaîne sur l'écran du temps (bientôt une troisième et une quatrième ?). D'ailleurs la TV américaine avec ses quatre-vingt-trois channels est l'incarnation vivante du ludique : on ne peut plus que jouer, changer de chaîne, mélanger les programmes, faire son propre montage (la prédominance des jeux télévisés n'est que l'écho, dans le contenu, de cet usage ludique du médium). Et ce jeu est fascinant, comme l'est toute combinatoire. Mais ce n'est plus la sphère de l'enchantement ni de la séduction, c'est l'ère de la fascination qui commence.

Le ludique ne correspond évidemment pas au fait qu'on s'y amuse. Il tendrait même à se confondre avec le policier. Plus simplement il connote le mode même de fonctionnement des réseaux, leur mode d'investissement et de manipulation. Il englobe toutes les possibilités de « jouer » avec les réseaux, lesquelles ne sont évidemment pas une alternative, mais une virtualité de fonctionnement optimal.

Nous avons connu déjà la dégradation du jeu au rang de fonction — la dégradation fonctionnelle du jeu : le jeu-thérapie, le jeu-apprentissage, le jeu-catharsis, le jeu-créativité. Partout dans la psychologie de l'enfant et dans la pédagogie sociale et individuelle, le jeu est devenu une « fonction vitale », une phase nécessaire du développement. Ou bien, greffé sur le principe de plaisir, il est devenu alternative révolutionnaire, comme dépassement dialectique du principe de réalité chez Marcuse, comme idéologie du jeu et de la fête chez d'autres. Or, le jeu comme transgression, spontanéité, gratuité esthétique n'est encore que la forme sublimée de la vieille pédagogie directrice qui consiste à donner un sens au jeu, à l'assigner à une fin, et donc à l'expurger de sa puissance propre de séduction. Le jeu comme le rêve, le sport, le sommeil, le travail, ou l'objet transitionnel : hygiène nécessaire à un équilibre vital ou psychologique, à l'évolution ou à la régulation d'un système. Exactement l'inverse de cette passion de l'illusion qui le caractérisait.

Pourtant ceci n'est encore qu'une tentative *fonctionnelle* de soumettre le jeu à une forme quelconque de la loi de la valeur. Plus grave est l'absorption *cybernétique* du jeu dans la catégorie générale du ludique.

L'évolution des jeux est significative : des jeux d'équipe ou de compétition, des traditionnels jeux de cartes, ou encore des baby-foot, à l'immense génération des flippers (déjà l'écran, mais pas encore « télé », un mixte d'électronique et de gestuel) aujourd'hui dépassés par les tennis électroniques et autres jeux computerisés, écrans striés de molécules à grande vitesse, manipulation atomistique qui ne distingue en rien des pratiques informatiques de contrôle dans les « procès de travail » ou de l'usage futur du computer dans la sphère domestique, précédé par la télé et l'audiovisuel : le ludique est partout, jusques et y compris dans le « choix » d'une marque de lessive dans un hypermarché. Sans forcer on rejoint la sphère des drogues et des psychotropes, ludique elle aussi en ce qu'elle n'est rien d'autre qu'une manipulation du clavier sensoriel, du tableau de bord neuronique. Les jeux électroniques sont une drogue douce, ils sont pratiqués de la même façon, avec la même absence somnambulique et la même euphorie tactile. Il n'est pas jusqu'au code génétique qui ne serve de clavier de commande aux êtres vivants, là où se jouent les combinaisons et les variations infinitésimales de leur « destin » : destin « télé » onomique, qui se déroule sur l'écran moléculaire du code. Il y aurait beaucoup à dire sur l'objectivité de ce code génétique qui sert de prototype « biologique » à tout l'univers combinatoire, aléatoire et ludique qui nous entoure. Car qu'est-ce que c'est que la « biologie » ? Quelle vérité recèle-t-elle ? Ou bien elle ne recèle *que* la vérité, c'est-à-dire le destin transformé en tableau de bord opérationnel. Derrière notre écran de télécommande biologique, plus de jeu, plus d'enjeu, plus d'illusion, plus de mise en scène : il ne reste plus qu'à le moduler, à en jouer comme on joue des tonalités ou des timbres d'une chaîne stéréophonique.

Celle-ci est d'ailleurs un bon exemple « ludique ». Dans la manipulation de la chaîne, il n'y a plus d'enjeu musical, mais un enjeu technologique de modulation optimale du clavier stéréo. Magie de la console et du tableau de bord : c'est la manipulation du medium qui l'emporte.

Qu'en est-il d'une partie d'échecs jouée sur ordinateur ? Où est l'intensité propre aux échecs, où est le plaisir propre à l'ordinateur ? L'une est de l'ordre du jeu, l'autre du ludique. Même chose pour un match de football retransmis à la télévision. Ne croyons pas qu'il s'agisse du même match : l'un est hot, l'autre est cool — l'un est un jeu où entre l'affect, le défi, la mise en scène, l'autre est tactile, modulé (visions en flash-back, ralentis, miniaturisation ou gros plans, angles de vue, etc.) : le match télévisé est d'abord un événement télévisé, tout comme *Holocauste* ou la guerre du Viêt-nam dont il ne se distingue guère. Ainsi le succès de la télévision en couleurs aux U.S.A., tardif et difficile, date du jour où une grande chaîne eut l'idée d'importer la couleur dans le journal télévisé : c'était alors la guerre du Viêt-nam et les études ont montré que le « jeu » des couleurs, et la sophistication technique qu'apportait cette innovation rendaient plus supportables aux téléspectateurs la vision des images de la guerre. Le « plus » de vérité créait un effet de distanciation ludique à l'événement.

Holocauste.

On fait repasser les Juifs non plus au four crématoire ou à la chambre à gaz, mais à la bande-son et à la bande-image, à l'écran cathodique et au microprocesseur. L'oubli, l'anéantissement atteint enfin par là à sa dimension esthétique — il s'achève dans le rétro, ici enfin élevé à la dimension de masse. La télé : véritable « solution finale » à l'événement.

L'espèce de dimension historique qui restait

encore à l'oubli sous forme de culpabilité, de non-dit, n'existe même plus, puisque désormais « tout le monde sait », tout le monde a vibré devant l'extermination — signe sûr que « ça » ne se reproduira plus jamais. Ce qu'on exorcise ainsi à peu de frais, et au prix de quelques larmes, ne se reproduira en effet plus jamais, parce que c'est en train, actuellement, de se reproduire, et précisément dans la forme même où on prétend le dénoncer, dans le médium même de ce prétendu exorcisme : la télévision. Même processus d'oubli, de liquidation, d'extermination, même anéantissement des mémoires et de l'histoire, même rayonnement inverse, même absorption sans écho, même trou noir qu'Auschwitz. Et on voudrait nous faire croire que la TV va lever l'hypothèque d'Auschwitz en faisant rayonner une prise de conscience collective, alors qu'elle en est la perpétuation sous d'autres espèces, sous les auspices cette fois non plus d'un *lieu* d'anéantissement, mais d'un *médium* de dissuasion.

Holocauste est *d'abord* (et exclusivement) un événement *télévisé* (règle fondamentale de MacLuhan, qu'il ne faut pas oublier), c'est-à-dire qu'on essaie de réchauffer un événement historique *froid*, tragique mais froid, le premier grand événement des systèmes froids, des systèmes de refroidissement, de dissuasion et d'extermination qui vont ensuite se déployer sous d'autres formes (y compris la guerre froide, etc.) et concernant des masses froides (les Juifs même plus concernés par leur propre mort, et l'autogérant éventuellement, masses même plus révoltées : dissuadées jusqu'à la mort, dissuadées de leur mort même) de réchauffer cet événement froid à travers un médium froid, la télévision, et pour des masses elles-mêmes froides, qui n'auront là l'occasion que d'un frisson tactile et d'une émotion posthume, frisson dissuasif lui aussi, qui les fera verser dans l'oubli avec une sorte de bonne conscience esthétique de la catastrophe.

Pour réchauffer tout cela, il n'était pas de trop de l'orchestration politique et pédagogique qui est venue tenter de rendre un sens à l'événement (télévisé). Chantage panique aux conséquences de cette émission dans l'imagination des enfants. Tous les travailleurs sociaux mobilisés pour filtrer la chose, comme s'il y avait quelque danger de virulence dans cette résurrection artificielle ! Le danger était bien plutôt inverse : du froid au froid, l'inertie sociale des systèmes froids. Il fallait donc que tout le monde se mobilise pour refaire du social, du social chaud, de la communication, à partir du monstre froid de l'extermination. Cette émission était bonne pour ça : capter la chaleur artificielle d'un événement mort pour réchauffer le corps mort du social. D'où l'addition de média supplémentaires pour renchérir sur l'effet par feed-back : sondages immédiats sanctionnant l'effet massif de l'émission, l'impact collectif du message — alors que ces sondages ne vérifient bien entendu que le succès télévisuel du médium lui-même.

Il faudrait parler de la lumière froide de la télévision, pourquoi elle est inoffensive pour l'imagination (y compris celle des enfants) pour la raison qu'elle ne véhicule plus aucun imaginaire et ceci pour la simple raison que *ce n'est plus une image.* L'opposer au cinéma doué encore (mais de moins en moins parce que de plus en plus contaminé par la télé) d'un intense imaginaire — parce qu'il est une image. C'est-à-dire pas seulement un écran et une forme visuelle, mais un *mythe*, une chose qui tient encore du double, du phantasme, du miroir, du rêve, etc. Rien de tout cela dans l'image « télé », qui ne suggère rien, qui magnétise, qui n'est, elle, qu'un écran, même pas : un terminal miniaturisé qui, en fait, se trouve immédiatement dans votre tête — c'est vous l'écran, et la télé vous regarde — en transistorise tous les neurones et passe comme une bande magnétique — une bande, pas une image.

Tout ceci est de l'ordre de ludique, et le ludique est le lieu d'une *séduction froide* — le charme « narcissique » des systèmes électroniques et informatiques, le charme froid du médium et du terminal que nous sommes tous, isolés dans l'autoséduction manipulatrice de toutes les consoles qui nous entourent.

La possibilité de modulations dans un univers indifférencié, de « jeu » d'ensembles mouvants n'est en effet jamais sans fascination — il est même fort probable que le ludique et le libidinal frayent ensemble quelque part du côté des systèmes aléatoires, du côté d'un désir qui ne fait plus *effraction* dans la sphère de la loi, mais *diffraction* en tous sens dans un univers qui n'en a plus. Ce désir-là est lui aussi de l'ordre du ludique et de la topologie mouvante des systèmes. C'est une *prime de plaisir* (en même temps qu'une prime d'angoisse) accordée à chacune des particules mouvantes des réseaux. A chacun de nous il est accordé ce léger vertige psychédélique des branchements multiples ou successifs, des connections et des déconnections. Chacun de nous est invité à devenir un « système de jeux » miniaturisé, un micro-système susceptible de jeu, c'est-à-dire d'une possibilité auto-régulatrice de fonctionnement aléatoire.

Telle est l'acception moderne du jeu, l'acception « ludique » connotant la souplesse et la polyvalence des combinaisons : sur la possibilité de « jeu » entendu dans ce sens repose la métastabilité des systèmes. Rien à voir avec l'acception du jeu comme relation duelle et agonistique : c'est la séduction froide qui gouverne toute la sphère de l'information et de la communication, c'est dans cette séduction froide que s'épuise aujourd'hui tout le social et sa mise en scène.

Gigantesque processus de simulation que nous connaissons bien. L'interview non directif, les téléphones d'auditeurs, la participation tous azimuts, le chantage à la parole : « Vous êtes concernés, c'est vous l'événement, c'est vous la majorité. » Et de sonder les opinions, les cœurs, les inconscients, pour manifester combien « ça » parle. Toute l'information est envahie par cette sorte de contenu fantôme, de greffe homéopathique, de rêve éveillé de la communication. Agencement circulaire où on met en scène le « désir de la salle », circuit intégré de la sollicitation perpétuelle. Immenses énergies déployées pour tenir à bout de bras ce simulacre, pour éviter la désimulation brutale qui nous confronterait à l'évidente réalité d'une perte radicale du sens.

Séduction / simulacre : la communication comme le social fonctionnent ainsi en circuit fermé, redoublant par les signes une réalité introuvable. Et le contrat social est devenu un pacte de simulation, scellé par les média et l'information. Personne ne s'y trompe profondément d'ailleurs : l'information est vécue comme ambiance, comme service, comme hologramme du social. Et une sorte de simulation inverse répond dans les masses à cette simulation de sens : à cette dissuasion il est répondu par la désaffection, à ce leurre il est répondu par une croyance énigmatique. Le tout circule et peut donner l'effet d'une séduction opérationnelle. Mais la séduction n'y a pas plus de sens que le reste : le terme ne fait que connoter cette sorte d'adhésion ludique à une information simulée, et de prégnance tactile des modèles.

Le téléphatique.

« Ici Rogers — je te reçois cinq sur cinq. » « Tu m'entends ? oui, je t'entends. » « On se reçoit, on se parle. » « Oui, on se parle. » Telle est la litanie des réseaux, y compris et surtout des réseaux pirates et alternatifs. On y joue à se parler, à s'entendre, à communiquer, on y joue des mécanismes les plus subtils de mise en scène de la communication. Fonction phatique, fonction de contact, la parole soutenant la dimension formelle de la parole : cette fonction isolée et décrite pour la première fois par Malinowski chez les Mélanésiens, reprise ensuite par Jakobson dans sa grille des fonctions du langage, devient hypertrophique dans la télédimension des réseaux. Le contact pour le contact devient une sorte d'autoséduction vide du langage lorsqu'il n'a plus rien à dire.

Celle-ci est propre à notre culture. Car ce que

décrivait Malinowski était tout autre chose : une altercation symbolique, un duel de langage : à travers des histoires, des locutions rituelles, des palabres sans contenu, c'est encore un défi que se lancent, un cadeau que se font les indigènes, comme d'un cérémonial pur. Le langage n'y a pas besoin de « contact » : *nous* avons besoin d'une fonction de « contact », d'une fonction spécifique de communication, justement parce qu'elle nous échappe, et c'est dans ce sens que Jakobson peut l'isoler à l'époque moderne dans son analyse du langage, alors qu'elle n'a pas de sens, ni de terme pour le dire, dans les autres cultures. La grille de Jakobson et son axiomatique de la communication est contemporaine d'une péripétie du langage où ça commence à ne plus communiquer du tout. Il y a donc urgence à en restituer analytiquement la possibilité fonctionnelle, et en particulier cette fonction « phatique », qui en toute logique n'est qu'un truisme : si ça parle, ça parle. Mais justement non, et le « phatique » est le symptôme qu'il faut déjà réinjecter du contact, produire du circuit, parler inépuisablement pour rendre simplement possible le langage. Situation désespérée où le simple contact apparaît comme un prodige.

Si le phatique s'hypertrophie dans les réseaux (c'est-à-dire dans tout notre système de communication médiatique et informatique), c'est que la télédistance fait qu'aucune parole n'a littéralement plus de sens. Donc, on dit qu'on se parle, et, ce parlant, on ne fait que vérifier le réseau et le branchement sur le réseau. Il n'y a même pas d'autre au fil du réseau, car dans la pure alternance du signal de reconnaissance, il n'y a plus ni émetteur ni récepteur. Simplement deux terminaux, et le signal d'un terminal à l'autre ne fait que vérifier que « ça » passe, donc que rien ne se passe. Dissuasion parfaite.

Deux terminaux ne sont pas deux interlocuteurs. Dans l'espace « télé » (c'est vrai aussi pour *la* télé), il n'y a plus de *termes* ni de positions *déterminées*. Il n'y a plus que des *terminaux* en position d'*extermination*. C'est ici d'ailleurs que toute la grille jakobsonienne s'effondre, qui ne vaut que pour une configuration classique du discours et de la communication. Elle n'a plus de sens dans l'espace des réseaux, où règne la digitalité pure. Dans l'espace du discours, c'est encore la polarité des termes, des oppositions distinctives, qui règle l'apparition du sens. Une structure, une syntaxe, un espace de la différence, c'est encore cela qui règle le dialogue, du signe (signifiant/signifié) et du message (émetteur/récepteur), etc. Avec le 0/1 de la binarité ou de la digitalité, ce n'est plus une opposition distinctive, une différence réglée. C'est le « bit », la plus petite unité d'impulsion électronique, *qui n'est plus une unité de sens*, mais une pulsation signalétique. Ce n'est plus du langage, c'en est la dissuation radicale. Tels fonctionnent les réseaux, telle est la matrice de l'information et de la communication. Le besoin de « contact » s'y fait certes cruellement sentir, car non seulement il n'y a plus de relation duelle comme dans le potlatch de langue mélanésien, mais il n'y a même plus de logique interindividuelle de l'échange comme dans le langage classique (celui de Jakobson). A la dualité, et à la polarité discursive, a succédé la digitalité informatique. Assomption totale du médium et des réseaux. Assomption froide du médium électronique, et de la masse elle-même comme médium.

TÉLÉ : il n'y a plus que des terminaux. AUTO :

chacun est son propre terminal (« télé » et « auto » sont eux-mêmes des sortes d'opérateurs, de particules commutantes qui se branchent sur les mots comme la vidéo sur un groupe, comme la télé sur ceux qui la regardent). Le groupe branché sur la vidéo n'est lui aussi que son propre terminal. Il s'enregistre, s'autorégule, s'autogère électroniquement. Auto-allumage, autoséduction. Le groupe est érotisé et séduit par le constat immédiat qu'il reçoit de lui-même, s'autogérer sera bientôt le travail universel de chacun, de chaque groupe, de chaque terminal. S'autoséduire deviendra la norme de toute particule électrisée des réseaux ou des systèmes.

Le corps lui-même, télécommandé par le code génétique, n'est plus que son propre terminal : il ne lui reste plus, branché sur lui-même, qu'à autogérer optimalement son propre stock d'information.

Aimantation pure : de la réponse par la question, du réel par le modèle, du 0 par le 1, du réseau par sa propre existence, des locuteurs par leur seul branchement, pure tactilité du signal, pure vertu du « contact », pure affinité d'un terminal à l'autre : telle est l'image de la séduction éparse, diffuse dans tous les systèmes actuels, — autoséduction / autogestion qui ne fait que refléter la circularité des réseaux, et le court-circuit de chacun de leurs atomes ou de leurs particules (que d'aucuns appelleront narcissisme aussi, pourquoi pas ? sinon qu'il y a contresens absolu à transposer des termes tels que narcissisme et séduction dans un registre qui n'est plus du tout le leur, puisqu'il est *celui de la simulation*).

Ainsi Jean Querzola dans « Le silicium à fleur de peau » (*Traverses*, n°s 14/15) : la technologie psychobiologique, toutes les prothèses informatiques et les réseaux électroniques d'autorégulation dont nous disposons nous offrent une sorte d'étrange miroir bioélectronique, où chacun désormais tel un narcisse digital va glisser au fil d'une pulsion de mort et s'abîmer dans son image. Narcisse = narcose (MacLuhan avait déjà fait ce rapprochement) :

> « Narcose électronique : voilà le risque ultime de la simulation digitale... Nous glisserions d'Œdipe à Narcisse... Au bout de l'autogestion des corps et des plaisirs, il y aurait cette lente narcose narcissique. En un mot, avec le silicium, que devient le principe de réalité ? Je ne dis pas que la digitalisation du monde est cause d'une fin prochaine de l'Œdipe : je constate que le développement de la biologie et des techniques de l'information s'accompagne de la dissolution de cette structure de la personnalité nommée œdipienne. La dissolution de ces structures découvre un autre lieu, d'où le père est absent : ça se joue avec le maternel, le sentiment océanique et la pulsion de mort. Ce qui menace n'est pas une névrose, plutôt de l'ordre de la psychose. Narcissisme pathologique... On croit connaître les formes de lien social qui s'édifient sur l'Œdipe. Mais que fait le pouvoir quand cela ne fonctionne plus ? Après l'autorité, la séduction ? »

Le plus bel exemple de ce « miroir bionique » et de cette « nécrose narcissique » : le clonage — forme limite de l'auto-séduction : du Même au Même sans passer par l'Autre.

Aux Etats-Unis, un enfant serait né comme un géranium, par bouturage. Le premier enfant-clone — descendance d'un individu par multiplication végétative. Le premier enfant né d'une seule cellule d'un individu, son « père », géniteur unique dont il serait la réplique exacte, le jumeau parfait, le double (D. Rorvik, « A son image : la copie d'un homme »). Bouturage humain à l'infini, chaque cellule d'un organisme individué pouvant redevenir la matrice d'un individu identique.

> « Mon patrimoine génétique a été fixé une fois pour toutes lorsqu'un certain spermatozoïde a rencontré un certain ovule. Ce patrimoine comporte la recette de tous les processus biochimiques qui m'ont réalisé et qui assurent mon fonctionnement. Une copie de cette recette est inscrite dans chacune des dizaines de milliards de cellules qui me constituent aujourd'hui. Chacune d'elles sait comment me fabriquer ; avant d'être une cellule de mon foie ou de mon sang, elle est une cellule de moi. Il est donc théoriquement possible de fabriquer un individu identique à moi à partir de chacune d'elles. » (Pr. A. Jacquard.)

Projection et ensevelissement dans le miroir du code génétique. Pas de plus belle prothèse que l'A.D.N., pas de plus belle extension narcissique que cette image nouvelle qui est donnée à l'être moderne, en lieu et place de son image spéculaire : sa formule moléculaire. C'est là qu'il va trouver sa « vérité » : dans la répétition indéfinie de son être « réel », de son être biologique. Ce narcissisme dont le miroir n'est plus une source, mais une formule, est donc aussi la parodie monstrueuse du *mythe* de Narcisse. Narcissisme froid, autoséduction froide, sans même l'écart minimal par où l'être peut se vivre comme illusion : la matérialisation du double réel, biologique, dans le clone, coupe court à la possibilité de jouer avec sa propre image, et d'y jouer avec sa mort.

Le double est une figure imaginaire qui, telle l'âme, l'ombre ou son image dans le miroir, hante le sujet comme une mort subtile et toujours conjurée. S'il se matérialise, c'est la mort imminente — c'est cette proposition fantastique qui est aujourd'hui littéralement réalisée dans le clonage : le clone est la figure même de la mort, mais sans l'illusion symbolique qui fait son charme.

Il y a une intimité du sujet à lui-même qui repose sur l'immatérialité de son double, sur le fait qu'il est et reste un phantasme. Chacun peut rêver, et a dû rêver toute sa vie d'une duplication ou multiplication parfaite de son être, mais ceci a force de rêve, et se détruit de vouloir forcer le rêve dans le réel. Il en est de même pour la scène primitive ou pour celle de la séduction : elle n'opère que d'être phantasmée, ressouvenue, jamais réelle. Il appartenait à notre époque de vouloir matérialiser ce phantasme comme bien d'autres, et, par un contresens total, de changer le jeu du double, d'un échange subtil de la mort avec l'autre, en l'éternité du même.

Rêve d'une gémellité éternelle substituée à la procréation sexuée. Rêve cellulaire de scissiparité — la forme la plus sûre de la parenté, puisqu'elle permet enfin de se passer de l'autre, et d'aller du même au même (il faut encore passer par l'utérus d'une femme, et par un ovule dénoyauté, mais ce support est éphémère, et anonyme : une prothèse femelle pourrait le remplacer). Utopie mono-cellulaire, qui, par la voie de la génétique, fait accéder les êtres complexes au destin des protozoaires.

N'est-ce pas une pulsion de mort qui pousserait les êtres sexués vers une forme de reproduction antérieure à la sexuation — (n'est-ce pas d'ailleurs cette forme scissipare, cette prolifération par contiguïté qui est pour nous la mort, au plus profond de notre imaginaire : ce qui nie la sexualité et veut l'anéantir, celle-ci étant porteuse de vie, donc d'une forme critique et mortelle de reproduction ?) — et qui les pousserait en même temps à nier toute altérité pour ne plus viser que la perpétuation d'une identité, une transparence de l'inscription génétique même plus vouée aux péripéties de l'engendrement ?

Laissons la pulsion de mort. S'agit-il du phantasme de s'engendrer soi-même ? Non, car le sujet peut rêver d'effacer les figures parentales en s'y substituant, mais sans du tout nier la structure symbolique de la procréation : devenir son propre enfant, c'est encore être l'enfant de quelqu'un. Alors que le clonage abolit non seulement la Mère, mais aussi bien le Père, l'enchevêtrement de leurs gènes, l'intrication de leurs différences, et surtout l'actuel *duel* qu'est l'engendrement. Le cloneur ne s'engendre pas : il bourgeonne à partir d'un segment. On peut spéculer sur la richesse de ces branchements végétaux qui résolvent en effet toute sexualité œdipienne au profit d'un sexe « non humain » — il reste que le Père et la Mère ont disparu, et ceci au profit d'*une matrice appelée code*. Plus de mère : une matrice. Et c'est elle, celle du code génétique, qui

« enfante » désormais à l'infini sur un mode opérationnel, expurgé de toute sexualité aléatoire.

Plus de sujet non plus, puisque la réduplication identitaire met fin à sa division. Le stade du miroir est aboli, ou plutôt parodié d'une façon monstrueuse. Fini le rêve immémorial de projection narcissique du sujet, car celle-ci passe encore par le miroir, où le sujet s'aliène pour se retrouver, ou se voit pour y mourir. Or ici, plus de miroir : un objet industriel n'est pas le miroir de celui, identique, qui lui succède dans la série. L'un n'est jamais le mirage, idéal ou mortel, de l'autre, ils ne peuvent que s'additionner, et s'ils ne peuvent que s'additionner, c'est qu'ils n'ont pas été engendrés sexuellement et ne connaissent pas la mort.

Un segment n'a pas besoin de médiation imaginaire pour se reproduire, pas plus que le ver de terre : chaque segment de ver se reproduit directement comme ver entier — chaque cellule de l'industriel américain peut donner un nouvel industriel. Tout comme chaque fragment d'un hologramme peut redevenir matrice de l'hologramme complet : l'information reste entière dans chacun des fragments dispersés.

C'est ainsi que prend fin la totalité : si toute l'information se retrouve dans chacune des parties, l'ensemble perd son sens. C'est aussi la fin du corps, de cette singularité appelée corps, dont le secret est qu'il ne peut être segmenté en cellules additionnelles, qu'il est une configuration indivisible, ce dont témoigne sa sexuation. Paradoxe : le clonage va fabriquer à perpétuité des êtres sexués, puisque semblables à leurs modèles, alors que le sexe est devenu par là même une fonction inutile — mais justement le sexe *n'est pas* une fonction, c'est ce qui excède toutes les parties, et toutes les fonctions du corps. C'est ce qui excède toute l'information qui peut être réunie sur ce corps. La formule génétique, elle, prétend réunir toute cette information. C'est pourquoi elle ne peut que frayer la voie à un type de reproduction autonome, indépendante du sexe et de la mort.

Déjà la science bio-physio-anatomique, par la dissection en organes et en fonctions, entame le processus de décomposition analytique du corps. La génétique micro-moléculaire en est la conséquence logique, à un niveau d'abstraction et de simulation bien supérieur : celui, nucléaire, de la cellule de commandement — celui, directeur, du code génétique, autour duquel s'organise toute cette fantasmagorie.

Dans la vision mécaniste, chaque organe n'est encore qu'une prothèse partielle et différenciée : simulation « traditionnelle ». Dans la vision bio-cybernétique, c'est le plus petit élément indifférencié, c'est chaque cellule qui devient une prothèse embryonnaire du corps. C'est la formule inscrite en chaque cellule qui devient la véritable prothèse moderne de tous les corps. Car si la prothèse est communément un artefact qui supplée un organe défaillant, ou le prolongement instrumental d'un corps, alors la molécule ADN, qui enferme toute l'information relative à un être vivant, est la prothèse par excellence, puisqu'elle va permettre de prolonger indéfiniment cet être vivant par lui-même — lui n'étant plus que la série indéfinie de ses avatars cybernétiques.

Prothèse plus artificielle encore que toute prothèse mécanique. Car le code génétique n'est pas « naturel » : comme toute partie abstraite d'un tout et autonomisée altère ce tout en s'y substituant (prothèsis : c'est le sens étymologique), on peut dire que le code génétique, où le tout d'un être vivant prétend se condenser parce que toute l'« information » de cet être y serait enfermée (incroyable violence de la simulation génétique) est un artefact, une matrice artificielle, une matrice de simulation dont vont procéder, non plus même par reproduction, mais par pure et simple *reconduction*, des êtres identiques assignés aux mêmes commandements.

Le clonage est donc le stade ultime de la simulation du corps, celui où réduit à sa formule abstraite et génétique, l'individu est voué à la démultiplication sérielle. Walter Benjamin disait que ce qui est perdu de l'œuvre d'art à l'ère de sa reproductibilité technique, c'est son « aura », cette qualité singulière de l'ici et maintenant, sa forme esthétique : elle passe d'un destin de séduction à un destin de reproduction et elle prend, dans ce destin nouveau, une forme *politique*. L'original est perdu, seule la nostalgie peut le restituer comme « authentique ». La forme extrême de ce processus est celle des mass-media contemporains : l'original n'y a plus jamais lieu, les choses y sont d'emblée conçues en fonction de leur reproduction illimitée.

C'est exactement ce qui arrive à l'être humain avec le clonage. C'est ce qui arrive au corps lorsqu'il n'est plus conçu que comme stock d'informations et de messages, comme substance informatique. Rien ne s'oppose alors à sa reproductibilité sérielle dans les mêmes termes dont use Benjamin pour les objets industriels ou les images. Il y a précession du modèle génétique sur tous les corps possibles.

C'est l'irruption de la technologie qui commande à ce renversement, d'une technologie que Benjamin décrivait déjà comme médium total — gigantesque prothèse commandant à la génération d'*objets* et d'images identiques, que rien ne pouvait plus différencier l'un de l'autre — mais sans concevoir encore l'approfondissement contemporain de cette technologie, qui rend possible la génération d'*êtres* identiques, sans qu'il puisse être fait retour à un être originel. Les prothèses de l'âge industriel sont encore externes, *exotechniques* — celles que nous connaissons se sont ramifiées et intériorisées : *ésotechniques.*

Nous sommes à l'âge des technologies douces, software génétique et mental. Les prothèses de l'âge industriel, les machines faisaient encore retour sur le corps pour en modifier l'image — elles-mêmes étaient métabolisées dans l'imaginaire, et ce métabolisme faisait partie de l'image du corps. Mais quand on atteint un point de non-retour dans la simulation, quand les prothèses s'infiltrent au cœur anonyme et micro-moléculaire du corps, lorsqu'elles s'imposent au corps même comme matrice, brûlant tous les circuits symboliques ultérieurs, tout corps possible n'étant que sa répétition immuable — alors c'est la fin du corps et de son histoire : l'individu n'est plus qu'*une métastase cancéreuse de sa formule de base.*

Les individus issus par clonage de l'individu X sont-ils autre chose que la prolifération d'une même cellule telle qu'on peut y assister dans le cancer ? Il y a une relation étroite entre le concept même de code génétique et la pathologie du cancer : le code désigne la formule minimale à laquelle on peut réduire l'individu entier, tel qu'il ne peut que se réitérer. Le cancer désigne la prolifération d'un même type de cellule sans considération des lois organiques de l'ensemble. Ainsi dans le clonage : reconduction du Même, prolifération d'une seule matrice. Jadis la reproduction sexuée s'y opposait encore, aujourd'hui on peut enfin isoler la matrice génétique de l'identité, et éliminer toutes les péripéties différentielles qui faisaient le charme aléatoire des individus. Leur séduction ?

La métastase inaugurée par les objets industriels finit dans l'organisation cellulaire. Le cancer est en effet la maladie qui commande toute la pathologie contemporaine, parce qu'elle est *la forme même de la virulence du code* : redondance exacerbée des mêmes signaux, rebondance exacerbée des mêmes cellules.

Le clonage est donc dans le droit fil d'une entreprise irréversible : celle d' « étendre et d'approfondir la transparence d'un système avec lui-même, en augmentant ses possibilités d'autorégulation, en modifiant son économie informationnelle » (Querzola).

Toute pulsion sera expulsée. Tout ce qui est intérieur (réseaux, fonctions, organes, circuits conscients ou inconscients) sera extériorisé sous forme de prothèses, qui constitueront autour du corps un corpus idéal satellisé dont le corps lui-même sera devenu satellite. Tout noyau aura été énuclé et projeté dans l'espace satellite.

Le clone est la matérialisation de la formule génétique sous forme d'être humain. Ça ne va pas s'arrêter là. Tous les secrets du corps, dont le sexe, l'angoisse, et jusqu'au plaisir subtil d'exister, tout ce que vous ne savez pas sur vous-mêmes et que vous ne voulez pas savoir, sera modulé en bio-feed-back, vous sera renvoyé sous forme d'information digitale « incorporée ». C'est le *stade du miroir bionique* (Querzola).

Le Narcisse digital au lieu de l'Œdipe triangulaire. Hypostase du double artificiel, le clone sera désormais votre ange gardien, forme visible de votre inconscient et chair de votre chair, *littéralement et sans métaphore*. Ton « prochain » sera désormais ce clone hallucinant de ressemblance, tel que tu ne seras plus jamais seul, et n'auras plus jamais de secret. « Aime ton prochain comme toi-même » : ce vieux problème d'Evangile est résolu — le prochain, *c'est toi-même*. L'amour est donc total. L'autoséduction totale.

Les masses sont elles-mêmes un dispositif clonique, qui fonctionne du même au même sans passer par l'autre. Elles ne sont au fond que la somme des terminaux de tous les systèmes — réseau parcouru d'impulsions digitales : c'est ça qui fait masse. Insensibles aux injonctions externes, elles se constituent en circuits intégrés livrés à la manipulation (l'automanipulation) et à la « séduction » (l'autoséduction).

En réalité personne ne sait plus comment fonctionne un dispositif de représentation, ni même s'il en existe encore un. Mais il est de plus en plus urgent de rationaliser ce qui peut se passer dans l'univers de la simulation. Que se passe-t-il entre un pôle absent et hypothétique du pouvoir et celui, neutre et insaisissable, des masses ? Réponse : il y a de la séduction, ça marche à la séduction.

Mais cette séduction ne connote plus que l'opération d'un social dont on ne comprend plus rien, d'un politique dont la structure s'est évanouie. Elle dessine à la place une sorte d'immense territoire blanc parcouru des flux tièdes de la parole, de réseau souple lubrifié par des impulsions magnétiques. Ça ne marche plus au pouvoir, ça marche à la fascination. Ça ne marche plus à la production, ça marche à la séduction. Mais cette séduction n'est plus qu'un énoncé vide, lui-même concept en simulation. Le discours que tiennent simultanément les « stratèges » du désir des masses (Giscard, publicitaires, animateurs, human and mental engineers, etc.) et les « analystes » de cette stratégie, le discours qui décrit le fonctionnement du social, du politique, ou de ce qu'il en reste, en termes de séduction est aussi vide que l'espace du politique lui-même : il ne fait que le réfracter dans le vide. « Les media séduisent les masses », « les masses s'autoséduisent » : vanité de ces formules, où le terme de séduction est fantastiquement rabattu et dévoyé de son sens littéral, de charme et de sortilège mortel, vers une banale signification de lubrification sociale et de technique des relations en douceur — sémiurgie douce, technologie douce. Il relève alors tout bonnement de l'écologie, et de la transition générale du stade des énergies dures à celui des énergies douces. Energie douce, séduction molle. Le social à la niche.

Cette séduction diffuse, extensive, n'est plus celle, aristocratique, des relations duelles : c'est celle revue et corrigée par l'idéologie du désir. Séduction psychologisée qui résulte de sa vulgarisation lorsque se lève sur l'Occident la figure imaginaire du désir.

Celle-ci n'est pas une figure de maîtres, elle est produite historiquement par les dominés, sous le signe de leur libération, et elle s'approfondit de l'échec successif des révolutions. La forme du désir scelle le passage historique du statut d'objet à celui de sujet, mais ce passage n'est lui-même que la perpétuation subtile et intériorisée d'un ordre de la servitude. Premières lueurs d'une subjectivité des masses, à l'aube des temps modernes et des révolutions — premières lueurs d'une autogestion, par les sujets et les masses, de leur servitude, sous le signe de leur propre désir ! C'est la grande séduction qui commence. Car si l'objet n'est que dominé, le sujet du désir, lui, est fait pour être séduit.

C'est cette stratégie douce qui va se déployer socialement et historiquement : les masses seront psychologisées pour être séduites. Elles seront affublées d'un désir pour en être détournées. Jadis aliénées, lorsqu'elles avaient une conscience (mystifiée !) — aujourd'hui séduites, puisqu'elles ont un inconscient et un désir (hélas refoulé ou dévoyé). Jadis détournées de la vérité de l'histoire (révolutionnaire), aujourd'hui détournées de la vérité de leur propre désir. Pauvres masses séduites et manipulées ! On leur faisait endurer leur domination à force de violence, on la leur fait assumer à force de séduction.

Plus généralement, cette hallucination théorique du désir, cette psychologie libidinale diffuse sert d'arrière-plan au simulacre de la séduction qui circule partout. Succédant à l'espace de surveillance, elle caractérise, pour les individus et pour les masses, la vulnérabilité aux injonctions douces. Distillée à doses homéopathiques dans toutes les relations sociales et individuelles, l'ombre séductrice du discours plane aujourd'hui sur le désert de la relation sociale et du pouvoir lui-même.

En ce sens, nous sommes bien à l'ère de la séduction. Mais il ne s'agit plus de cette forme d'absorption ou d'engloutissement potentiel, où nul sujet, nul réel n'est assuré de ne pas tomber, de cette distraction mortelle (c'est peut-être qu'il n'y a plus assez de réel à détourner, ni de vérité à abolir) — il ne s'agit même plus de détourner l'innocence et la vertu (il n'y a plus assez de morale ni de perversion pour cela) — il ne reste plus que de séduire... pour séduire ? « Séduisez-moi. » « Laissez-moi vous séduire. » Séduire est ce qui reste quand les enjeux, tous les enjeux se sont retirés. Non plus la violence faite au sens ou son extermination silencieuse, mais la forme qui reste au langage quand il n'a plus rien à dire. Non plus une perte vertigineuse, mais la plus petite gratification respective que puissent se faire des êtres de langage dans une relation sociale énervée. « Séduisez-moi. » « Laissez-moi vous séduire. »

Dans ce sens, la séduction est partout, subrepticement ou ouvertement, se confondant avec la sollicitation, avec l'ambiance, avec l'échange pur et simple. C'est celle du pédagogue et de son élève (je te séduis, tu me séduis, il n'y a rien d'autre à faire), celle du politicien et de son public, celle du pouvoir (ah, la séduction du pouvoir et le pouvoir de la séduction !), celle de l'analyste et de l'analysant, etc.

Les Jésuites déjà furent célèbres pour avoir usé de séduction dans les formes religieuses, pour avoir ramené les foules dans le giron de l'Eglise romaine par la séduction mondaine et esthétique du baroque, ou réinvesti la conscience des puissants par le biais des frivolités et des femmes. Les Jésuites furent en effet le premier exemple moderne d'une société de séduction de masse, d'une stratégie du désir des masses. Ils n'ont pas mal réussi, et une fois balayés les charmes austères de l'économie politique et d'un capitalisme de production, une fois balayé le cycle puritain du capital, il est bien possible que s'ouvre l'ère catholique, jésuitique d'une sémiurge douce et flatteuse, d'une technologie douce de la séduction.

Il ne s'agit plus de la séduction comme passion, mais d'une *demande de séduction.* D'une invocation de désir et d'accomplissement de désir en lieu et place des relations de pouvoir, de savoir, transférentielles ou amoureuses défaillantes. Où est la dialectique du maître et de l'esclave, lorsque le maître est séduit par l'esclave, lorsque l'esclave est séduit par le maître ? La séduction n'est plus que l'effusion des différences, et l'effeuillement libidinal des discours. Vague collusion d'une offre et d'une demande, la *séduction n'est plus qu'une valeur d'échange,* et elle sert à la circulation des échanges, à la lubrification des rapports sociaux.

Que reste-t-il de l'enchantement d'une structure

labyrinthique où l'être se perd, que reste-t-il même de l'imposture de la séduction ? « Il est une autre sorte de violence, qui n'en a ni le nom ni l'extérieur, mais qui n'en est pas moins dangereuse : je veux dire la séduction » (Rollin). Le séducteur était traditionnellement un imposteur, qui use de subterfuges et de vilenie pour parvenir à ses fins, qui *croit* en user, car curieusement l'autre en se laissant séduire, en succombant à l'imposture, l'annulait souvent et le dépouillait de toute maîtrise, le séducteur tombant dans ses propres rets, n'ayant pas mesuré la puissance réversible de toute séduction. Ceci vaut toujours : celui qui veut plaire à l'autre, c'est qu'il en a déjà subi le charme. Sur cette base, toute une religion, toute une culture peut s'organiser autour des *rapports de séduction* (et non des rapports de production). Ainsi les Dieux grecs, séducteurs / imposteurs, usaient de leur pouvoir pour séduire les hommes, mais ils étaient séduits en retour, ils étaient même souvent réduits à séduire les hommes, cela faisait l'essentiel de leur tâche, et c'est ainsi qu'ils offraient l'image d'un ordre du monde non pas du tout réglé par la loi comme l'univers chrétien ou par l'économie politique, mais par une entreprise respective de séduction qui assurait un équilibre *symbolique* entre les Dieux et les hommes.

Que reste-t-il de cette violence piégée à son propre artifice ? Fini l'univers où les dieux et les hommes cherchaient à se plaire, y compris par la séduction violente du sacrifice. Finie l'intelligence des signes et des analogies qui faisait le charme et la puissance de la magie, l'hypothèse d'un monde tout entier réversible dans les signes et sensible à la séduction, non seulement les dieux, mais les êtres inanimés, les choses mortes, les morts eux-mêmes, qu'il a toujours fallu séduire et conjurer par des rituels multiples, les charmer par les signes pour les empêcher de nuire... Aujourd'hui on en fait son travail de deuil, travail sinistre et individuel de reconversion et de recyclage. L'univers est devenu un univers de forces et de rapports de forces, il s'est matérialisé dans le vide comme un objet de maîtrise, et non de séduction. Univers de production, de libération des énergies, d'investissement et de contre-investissements, univers de la loi et des lois objectives, univers de la dialectique du maître et de l'esclave.

La sexualité elle-même est née de cet univers comme une de ses fonctions objectives et qui tend aujourd'hui à les surdéterminer toutes, se substituant comme finalité de rechange à toutes les autres défuntes ou évanescentes. Tout est sexualisé et trouve là une sorte de terrain de jeu et d'aventure. Partout ça parle, et tous les discours sont comme un commentaire éternel de sexe et de désir. Dans ce sens, on peut dire que tous les discours sont devenus discours de séduction, où s'inscrit la demande explicite de séduction, mais d'une séduction molle, dont le processus affaibli est devenu synonyme de tant d'autres : manipulation, persuasion, gratification, ambiance, stratégie du désir, mystique relationnelle, économie transférentielle en douceur venue relayer l'autre, l'économie concurrentielle des rapports de forces. Une séduction qui investit ainsi tout l'espace du langage n'a pas plus de sens ni de substance que le pouvoir qui investit tous les interstices du réseau social c'est pourquoi l'un et l'autre peuvent si bien aujourd'hui mêler leurs discours. Métalangage dégénéré de la séduction, mêlé au métalangage dégénéré du politique, partout opérationnel (ou absolument pas, comme on voudra, il suffit que le consensus se fasse sur le *modèle de simulation de la séduction,* d'un ruissellement diffus de la parole et du désir, comme il suffit pour sauvegarder l'effet de social que circule le métalangage confus de la participation.

Le discours de simulation n'est pas une imposture : il se contente de faire jouer la séduction à titre de simulacre d'affect, simulacre de désir et d'investissement, dans un monde où le besoin s'en fait cruellement sentir. Cependant, pas plus que les « rapports de force » n'ont jamais rendu compte, sinon dans l'idéalisme marxiste, des péripéties du pouvoir à l'ère panoptique, pas davantage la séduction ou les rapports de séduction ne rendent compte des péripéties actuelles du politique. Si tout marche à la séduction, ce n'est pas à cette séduction molle revue par l'idéologie du désir, c'est à la séduction défi, duelle et antagoniste, c'est à l'enjeu maximal, même secret, et non à la stratégie des jeux, c'est à la séduction mythique, et non à la séduction psychologique et opérationnelle, séduction froide et minimale.

LA SÉDUCTION, C'EST LE DESTIN

Ou bien doit-on penser que la forme pure est celle de cette séduction diffuse, sans charme, sans enjeu, de ce spectre de séduction qui hante nos circuits sans secret, nos phantasmes sans affects, nos réseaux de contact sans contact ? Comme la forme pure du théâtre serait celle, moderne, d'un happening de la participation et de l'expression, d'où la scène et la magie de la scène ont disparu ? Comme la forme pure de la peinture et de l'art serait ce mode d'intervention hypothétique, hyperréel, sur la réalité — acting pictures, land-art, body-art — d'où l'objet, le cadre et la scène de l'illusion ont disparu ?

Nous vivons en effet dans les formes pures, dans une obscénité radicale, c'est-à-dire visible et indifférenciée, des figures jadis secrètes et distinctes. Il n'en est pas autrement du social, qui règne aujourd'hui lui aussi dans sa forme pure, c'est-à-dire obscène et vide — il n'en va pas autrement de la séduction qui, dans sa forme actuelle, a perdu l'aléa, le suspense, le sortilège, pour revêtir la forme d'une obscénité légère et indifférenciée.

Faut-il se référer à la généalogie que Walter

Benjamin applique à l'œuvre d'art et à son destin : l'œuvre a d'abord statut d'objet *rituel,* impliqué dans la forme ancestrale du culte. Elle prend ensuite, dans un système de moindre obligation, une forme culturelle et *esthétique,* qui marque encore une qualité singulière, non plus immanente comme celle de l'objet rituel, mais transcendante et individualisée. Et cette forme esthétique à son tour laisse place à la forme *politique,* celle de la disparition de l'œuvre en tant que telle dans un destin inéluctable de reproduction technique. Si la forme rituelle ne connaît pas l'original (le sacré ne se soucie pas de l'originalité esthétique des objets de culte), celui-ci se perd de nouveau dans la forme politique : il n'y a plus qu'une multiplication d'objets sans original. Cette forme correspond à leur circulation maximale et à leur intensité minimale.

Ainsi la séduction aurait eu sa phase rituelle (duelle, magique, agonistique), sa phase esthétique (celle qui se reflète dans la « stratégie esthétique » du Séducteur, et où son orbite se rapproche de celle du féminin et de la sexualité, de l'ironique et du diabolique, c'est alors qu'elle prend le sens qu'elle a pour nous, de détournement, de stratégie, de jeu, éventuellement maudit, des apparences) et enfin sa phase « politique » (en reprenant le terme, ici un peu ambigu, de Benjamin), celle d'une disparition totale de l'original de la séduction, de sa forme rituelle comme de sa forme esthétique, au profit d'une ventilation tous azimuts où la séduction devient *la forme informelle du politique,* la trame démultipliée du politique insaisissable, voué à la reproduction sans fin d'une forme sans contenu. (Cette forme informelle est inséparable de la technicité : c'est celle des réseaux — tout comme la forme politique de l'objet est inséparable de la technique de reproduction sérielle). Comme pour l'objet, cette forme « politique » correspond à la diffusion maximale et à l'intensité minimale de la séduction.

Est-ce là le destin de la séduction ? Ou bien peut-on, contre ce destin involutif, tenir le pari de *la séduction comme destin* ? La production comme destin, ou la séduction comme destin ? Contre la vérité des profondeurs, le destin de l'apparence ? Nous vivons de toute façon dans le non-sens, mais si la simulation en est la forme désenchantée, la séduction, elle, en est la forme enchantée.

L'anatomie n'est pas le destin, ni la politique : la séduction est le destin. Elle est ce qui reste de destin, d'enjeu, de sortilège, de prédestination et de vertige, et aussi d'efficacité silencieuse dans un monde d'efficacité visible et de désenjouement.

Le monde est nu, le roi est nu, les choses sont claires. Toute la production, et la vérité même, visent à ce dénuement, et c'est de là aussi que procède tout récemment la « vérité » insoutenable du sexe. Heureusement il n'en est rien profondément, et c'est encore la séduction qui, de la vérité elle-même, détient la clef la plus sibylline, à savoir que « peut-être ne désire-t-on la dévêtir que parce qu'il est si difficile de l'imaginer nue ».

DU MÊME AUTEUR

Aux Éditions Gallimard

LE SYSTÈME DES OBJETS, Les Essais, 1968.

POUR UNE CRITIQUE DE L'ÉCONOMIE POLITIQUE DU SIGNE, Les Essais, 1972.

L'ÉCHANGE SYMBOLIQUE ET LA MORT, Bibliothèque des Sciences humaines, 1976.

Aux Cahiers d'Utopie

À L'OMBRE DES MAJORITÉS SILENCIEUSES, 1978.

LE P.C. OU LES PARADIS ARTIFICIELS DU POLITIQUE, 1978.

Aux Éditions Casterman

LE MIROIR DE LA PRODUCTION, 1973.

Aux Éditions Denoël

LA SOCIÉTÉ DE CONSOMMATION, Le Point, 1970.

Aux Éditions Galilée

OUBLIER FOUCAULT, 1977.

L'EFFET BEAUBOURG, 1977.

DE LA SÉDUCTION, 1979.

SIMULACRES ET SIMULATION, 1978.

LE MIROIR DE LA PRODUCTION, 1985.

L'AUTRE PAR LUI-MÊME, Habilitation, 1987.

COOL MEMORIES, 1987.

Aux Éditions Grasset

LES STRATÉGIES FATALES, 1983.

LA GAUCHE DIVINE, 1984.

AMÉRIQUE, 1986.

Elle (la séduction) n'est pas un processus interne à la sexualité. Elle est un processus circulaire, réversible, de défi, de surenchère et de mort 72

p. 78 – 'l'apparence' – Cf. Sontag

Ce contre quoi le discours a à se battre n'est pas tellement le secret d'un inconscient que l'abîme superficiel de sa propre apparence 79

le trompe-l'oeil 87

Impression Bussière à Saint-Amand (Cher),
le 22 janvier 1988.
Dépôt légal : janvier 1988.
Numéro d'imprimeur : 2875.

ISBN 2-07-032465-6. / Imprimé en France.

Précédemment publié aux Éditions Denoël.

ISBN 2-282-30211-7.